これって
どうなの？？

日常と科学の間にあるモヤモヤを解消する本

文・イラスト サイエンスライター かきもち──著

？？

第15回
出版甲子園
決勝大会出場企画

毎日のちょっとしたことを
科学的に考えてみよう

■本書内容に関するお問い合わせについて

このたびは翔泳社の書籍をお買い上げいただき、誠にありがとうございます。弊社では、読者の皆さまからのお問い合わせに適切に対応させていただくため、以下のガイドラインへのご協力をお願い致しております。下記項目をお読みいただき、手順に従ってお問い合わせください。

ご質問される前に

弊社Webサイトの「正誤表」をご参照ください。これまでに判明した正誤や追加情報を掲載しています。

正誤表　https://www.shoeisha.co.jp/book/errata/

ご質問方法

弊社Webサイトの「刊行物Q&A」をご利用ください。

刊行物Q&A　https://www.shoeisha.co.jp/book/qa/

インターネットをご利用でない場合は、FAXまたは郵便にて、下記"翔泳社 愛読者サービスセンター"までお問い合わせください。
電話でのご質問は、お受けしておりません。

回答について

回答は、ご質問いただいた手段によってご返事申し上げます。ご質問の内容によっては、回答に数日ないしはそれ以上の期間を要する場合があります。

ご質問に際してのご注意

本書の対象を越えるもの、記述箇所を特定されないもの、また読者固有の環境に起因するご質問等にはお答えできませんので、予めご了承ください。

郵便物送付先および FAX 番号

送付先住所　〒160-0006　東京都新宿区舟町5
FAX番号　　03-5362-3818
宛先　　　　（株）翔泳社 愛読者サービスセンター

はじめに

　本書をお手に取っていただき、ありがとうございます。著者のかきもちです。

　本書は、タイトルの通り日常生活と科学に関わるモヤモヤや疑問を、科学の視点を携えて解消していく本です。

　全部で5章からなっていて、章ごとにいくつかの節があります。各節は4ページほどあります。各節は相互に関連するところもありますが、どの項目からでもお読みいただけます。

　目次はモヤモヤや疑問のお品書きです。「このモヤモヤは私ももっているかも」「これはなんだろう」と思うところから読むこともできます。

　日常生活で食を重視されている方には第1章、メディアや教科書に出てくる数字が気になる方には第2章、科学と社会のつながりに興味のある方には第3章、体の健康に日々気をつけている方は第4章、科学の研究にワクワクする方には第5章がお勧めです。

　日常生活では、科学がたくさん活躍しています。それでもどこか、科学は遠い存在のように思えることがあるかもしれません。冷たいような、専門家にしかわからない世界のような……。

　そこでこの本の中には、科学はどこからやってきたのか、どのように行われているどんな営みなのか、科学のプロフィールとなるものをちりばめました。

　皆さまのモヤモヤを解消し、科学の素敵なところをお伝えできたら幸いです。それでは、どうぞごゆっくりお楽しみください。

2021年7月　かきもち

目次

第1章　食と科学

第2章　数字と科学

第3章　社会と科学

第4章　健康と科学

第5章　物理と科学

登場キャラクター紹介

しろねこ

- ちょっとだけ科学が気になるねこ。
- パスタを茹でたり散歩をしたり、人間と同じように暮らしている。
- 身の回りのことに興味をもち、毎日、日記をつけている。

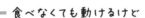

食べなくても動けるけど

朝、起きるのはとてもつらい。少しでも長く布団の中にいたい。加えて、朝は出掛ける準備など、やることもたくさんある。最近は、遅めに起き、朝ごはんを食べずに昼ごはんをしっかり食べたらどうかと思えてきた。朝ごはんの意味って、何なのだろう。

くろねこ

- 科学が大好きなねこ。
- しろねこと話したり、読者に情報提供をしたりする。
- 神出鬼没。

みけねこ

- 科学に詳しいねこ。
- 知識をくれたり、解説をしてくれたりする物知り。

第1章

食と科学

私たちの食生活に関係する技術や研究を紹介しますよ

カロリーとか栄養とか、科学っぽいかも

そうそう。
食べることも生命活動。
科学と関わっているのです

食品添加物って
どんなもの？

パッケージの裏

お菓子を食べていると、ついパッケージの裏側の説明文を見てしまう。特に大きなドラマがなくても、延々と、ぼんやりと読んでしまうのだ。

栄養成分表示には小麦粉、砂糖……と続き、最後のほうには増粘多糖類（ぞうねんたとうるい）、と書かれている。食品添加物だと思う。これらはどんなものなのだろうか。

 ## 本当に安全なの？

　お菓子のパッケージの裏面を見ると、栄養成分表示が書かれています。原材料の欄には、小麦粉や砂糖に加えてアスパルテーム、ペクチン、などの文字。これらは食品添加物です。

　現在、日本で食卓に流通している食品添加物は、800種類ほどあります。その中には、新たに開発されてきたものもあれば、昔から使われてきたものもあります。例えば、塩漬けに使われる食塩、パエリアなどの色つけに使われるサフランは、食品添加物の一つです。

　食品添加物は、たびたびメディアでも取り上げられてきました。食べ物は安全であってほしいという誰かの思いを利用して、食べ物に関して不安をあおる記事が出ることもあります。そこでは食品添加物が悪者扱いされることもあります。

　実際のところ、食品添加物は何のために使われているのでしょうか。また、食品添加物の安全性はどのように保証されているのでしょうか。ここでは、身の回りで多く使われている食品添加物の目的や、安全性についてご紹介します。

そうか、塩漬けの塩も
食品に使う添加物だもんね

塩、サフラン、クチナシ、にがりなど
（紀元前〜）

果実香料
（1851年〜）

「食品添加物」という言葉は、
1947年から使われるように
なりました。新しいね

図1.1.1　食品添加物には、長い歴史がある

＼ もっと知りたい！ ／

column

技術の確立で食品添加物復活

2020年2月、山崎製パン株式会社が臭素酸カリウムを食パンに使用すると
発表しました。臭素酸カリウムは小麦粉処理材というパンを柔らかくしっと
りさせる食品添加物で、最終的な製品に残さなければ使うことができます。
細胞のDNAに作用してがんを引き起こす可能性があるため、食パンへの使
用に対し批判が上がりました。この背景には食品加工技術の向上がありま
す。2014年に臭素酸カリウムが不足したことで使用を停止した後、微量な
臭素酸カリウムを検出できる技術を磨き続け、非常に高い精度で安全性を
確認したことで、2020年に使用を再開したのでした。

食べ物の加工

　食品添加物とは、食品を作る過程で食品の加工、保存などの目的で使用される物質のことです。**見た目や香りをよくするもののほかに、食品の栄養が長く守られるようにするためや、食べやすく、飲み込みやすくするために使われます。**

　古くから使われている塩やサフランは、調味料や色素として食卓に浸透しています。一方で甘味料のアステルパームなど、化学物質めいた名前のものは敬遠されがちです。これは、化合物の名前をそのまま通称に使っていることが原因です。塩は塩化ナトリウム、サフランに含まれる色素はカロテノイドという名前があります。どんな物質も元素からできているある種の化学物質ですから、心配することはありません。

　とはいえ、食品添加物の安全性はどのようにして確かめられているのでしょうか。**現在、日本で食品添加物を使用するためには、厚生労働省と第三者機関の認可を受ける必要があります。**認可のためには、あらかじめどのくらいの量まで食べてよいかを決める必要があります。塩を食べ過ぎると腎臓に負担をかけるように、他の食品添加物も食べ過ぎると体に悪く影響するものがあります。これを防ぐため、あらかじめ許容量を決めておきます。

　実際にその食品添加物を含んだ食品が大ヒットして、多くの人が許容量を超えて食べている、という状況にはならないのでしょうか。厚生労働省は、食品添加物の摂取量が許容量を上回らないよう、日本人一人当たりの食品添加物の摂取量を調査しています。**こうして、先に許容量を決めておき、本当に摂取量が許容量内に入っているか確かめるという二段構えで安全性が確保されています。**

　食品添加物についての正しい知識を発信する組織としては、日本食品添加物協会があります。食品添加物を使用する企業による組織で、メンバーとなっている企業や一般の人を対象に、食品添加物に関する情報発信を行っています。食品添加物を使う企業も、その利用には気を配っているようです。

　つまり、食品添加物は食べ物を保存し、食べやすくすることで現代の食生活を支えてくれています。またその安全性は、申請時の審査や摂取量の調査によって守られています。

研究・開発　　　審査　　　　認可

新しい添加物
作りました！

本当に
必要かな？

安全かな？

厚生労働省が
認可します

OK

食品安全委員会という、
食品添加物の安全性を
科学的に調べる機関もあります。

医学や薬学、農学の専門家の
グループです

図1.1.2　食品添加物が世に出るまでには、審査が必要である

 ## 印象ではなく実質を

　食品添加物、という響きに慣れ親しみを感じることは、なかなか難しいことと思います。日常生活ではまず、食べ物のことを食品とは呼ばず、身の回りのものを「～物」とは呼ばないでしょう。

　実際のところ、食品添加物は安全においしいものを食べる生活を助けてくれています。食べ物の安全性は消費者として気になることですが、過度に危険性をアピールし、不安をあおるものにも注意が必要です。

　食品添加物は、食品をよりおいしく安全にするためのものである。食品添加物は安全性が確認されたうえで使われていて、名前は少し物々しいが、私たちの食生活を支えてくれている。

遺伝子組み変え技術って何?

つい読んでしまう

お菓子のパッケージに書いてある、原材料表示を読んでいたら「遺伝子組み換え」という表記を見つけた。
遺伝子組み換え技術という言葉は聞いたことがあるが、どんなものなのだろうか。

 ## よりよい食べ物を作る技術

　遺伝子組み換え技術とは、作物の性質を決める遺伝子を人工的につなぎ変える技術です。遺伝子組み換え技術によって作られた作物を遺伝子組み換え作物といいます。

　人は花や野菜を交配させることで、より好まれる花やおいしい野菜を作ろうとしてきました。遺伝子組み換えは、交配や突然変異によって起こる遺伝子の変化を人の手で起こせるようにした技術です。

　遺伝子組み換え作物には、栄養を多く蓄えたり、栽培のときに生じる害虫を抑えたりするように開発されたものもあります。これらは食糧不足や栄養不足を解決するために役立つと期待されています。

　一方で、安全性や、生態系に与える影響に懸念もあり、現在、国内で販売する目的で栽培されている遺伝子組み換え作物はバラのみに制限されています。

　ここでは、遺伝子組み換え技術とはどのようなものか、遺伝子組み換え作物の利点や安全性、食卓との関係を考えます。

 ## 遺伝子を組み換えることの意味

　遺伝子組み換え技術とはどのような技術なのでしょうか。まず、遺伝子という

図1.2.1　遺伝子を組み換える方法

DNAと遺伝子の違いって何？

遺伝子はDNAの一部です。DNAは、螺旋が二つ重なった形をしていて、デオキシリボースという糖とリン酸、塩基からなるヌクレオチドという部品からできています。このうち、遺伝情報を担うのが塩基です。DNAのうち、特定の遺伝情報をもっているひとまとまりを遺伝子といいます。DNAを構成する全ての塩基が遺伝に関わる情報をもつわけではないのです。

言葉から見ていきましょう。生き物の細胞には、DNAという遺伝情報の本が入っています。遺伝子とは、この本の中にある一つの情報のまとまりのことです。例えば、猫のDNAの中には、目の色を決める遺伝子、毛の色を決める遺伝子、毛の長さを決める遺伝子などが含まれています。

遺伝子組み換え技術は、1970年代に開発された、ある生き物のDNAに別の**ある生き物の遺伝子を組み込む技術です。**作物の遺伝子を酵素というタンパク質で切り出し、別の作物のDNAに組み込むことで、新しい性質をもった作物を作り出します。こうしてできる作物を遺伝子組み換え作物といいます。

　この技術ができる前は、作物のDNAは交配や突然変異によって変化してきました。遺伝子組み換え技術では、交配や突然変異よりも効率的に、欲しい性質をもつ作物を開発できます。例えば、これまでには害虫に強いトウモロコシ、ビタミンAを多く含む米が開発されてきました。

　一方で、遺伝子組み換え作物には懸念も上がっています。一つは安全性に関するものです。遺伝子組み換え作物には、必ずしも期待した変化だけが現れるわけではありません。遺伝子を組み換えてみると、思ってもみなかった変化が起こってしまう可能性もあります。

　またもう一つは、生態系に関するものです。遺伝子組み換え作物が栽培されたり、栽培地域の外に流出したりすることで、野生の生物を脅かすのではないかというものです。以前からあった生態系に新たな植物が加わることで、もともといた植物が追いやられ、生態系のバランスが崩れてしまう可能性があります。

　対策として、日本では安全性や生態系への影響を科学的に評価し、問題のない遺伝子組み換え作物のみを認可する仕組みになっています。安全性についての審査を審議会や委員会が行い、パブリックコメントを経て、厚生労働省や農林水産省が安全性を告示するという流れです。**安全性が確認された遺伝子組み換え作物は、食品の原料や飼料として使われ、多くの人の食卓に届いています。**

　近年、交配、遺伝子組み換えに続き、遺伝子そのものを編集するゲノム編集という技術も確立されました。2020年にノーベル化学賞を受賞したほか、GABAという成分を多く含むゲノム編集トマトも開発されています。科学技術の発達によって、私たちの食卓や生活もさらに変化していくことでしょう。

 ## 新しい技術とつき合う

　遺伝子組み換えという言葉に違和感を抱く人や、そんなことをしていいのかと引っかかりを感じる人もいます。これは、新しい技術が出てきたときによく現れる、

図1.2.2　遺伝子組み換え作物の安全はこうして守られている

非常に大切な疑問です。

　遺伝子組み換え作物をよしとするかを考えるとき、少しだけその安全性を検証する科学のことを思い出してみてください。科学は人の感情とは離れたところで客観的な分析をすることを得意としています。最終的に何を選ぶのかを決めるのは価値観をもった一人ひとりの人間です。その判断のために、科学が力になってくれるはずです。

　遺伝子組み換えは、作物の遺伝子を組み換える技術である。一方、安全性や生態系への影響に懸念があり、科学的な評価を行い、問題のないものを認可するという対策が取られている。

加工しないことが善？

つい食べすぎる

お菓子を無心に食べていることがある。ほとんど何も考えないまま無の状態で頬張っていることがある……。
今日、超加工食品という食品があると聞いた。お菓子もその一つらしい。やはり食べないほうがいいのかな。

食事ガイドラインにはあるけれど

「超加工食品」という言葉があります。日本のメディアでも取り上げられることがあり、遺伝子組み換え作物や食品添加物と同様に安全性やそれに関わる不安に着目して報道されることもあります。

超加工食品とは、油や砂糖などを使って成形された食品のことです。ブラジルの食事ガイドラインのベースである、NOVA分類で定義されています。NOVA分類では、加工の程度によって食品を分類します。この分類に従って、ブラジルの食事ガイドラインはより加工の少ない食品を食べることを推奨しています。

超加工食品というと物々しく聞こえますが、実際のところはどのようなものなのでしょうか。ここでは、超加工食品の背景となるNOVA分類からご紹介します。

新鮮が一番？

NOVA分類は、ブラジル・サンパウロ大学の博士のグループが提唱した食品の分類です。NOVA分類では、食品を三つのグループに分類します。一つ目はナチュラルあるいは最小限に加工した食品、二つ目は加工食品、三つ目が超加工食品です。名前のとおり、加工の程度によって食品を分類しています。

ナチュラルあるいは最小限に加工した食品とは、生野菜、ジュースなどの食品で

食事バランスガイド

あなたの食事は大丈夫？

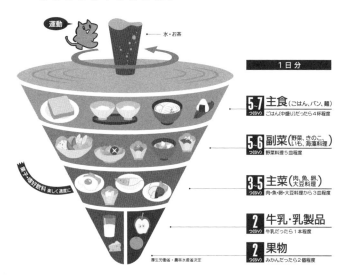

出典）農林水産省：「食事バランスガイド」について
https://www.maff.go.jp/j/balance_guide/index.html

図1.3.1　日本の食事ガイドライン。多種類の食品をバランスよく食べることが大切としている

\もっと知りたい！/

column

日本の食事ガイドライン

食事のガイドラインは世界各地で作られ、運用されています。日本では、2005年に厚生労働省と農林水産省により、食事バランスガイドが作られました。健康的な食生活を送るために何をどれだけ食べたらよいかを、イラストで示しています。特徴的なのは全体がコマの形をしていることです。コマの軸と回転は、水分と運動を表しています。食べるだけではなく、水分補給と継続的な運動も大切なのですね。

す。生の食材を乾燥させたり冷凍したりしたものとされています。加工食品は缶詰やパンなど、油や砂糖を使って加工した食品です。**超加工食品はもう少し進ん**

で、お菓子やスナック、インスタント食品など、油や砂糖などを使い、形を整えたものを指します。NOVA分類ではなるべく加工していないものを食べるようにと勧めていて、超加工食品を目の敵にしてしまいます。

　油や砂糖を避けて、ナチュラルなものを……という主張は、腑に落ちる部分もあります。カロリーの高いものばかり食べていると、健康にはよくなさそうですし、ナチュラルという言葉にはヘルシーそうなイメージがあります。しかし、加工していない食品だけを食べることが、体によい食事に本当につながるのでしょうか。

　栄養学や医学では、さまざまな食材をバランスよく摂ることを推奨しています。油や砂糖は体を動かすエネルギーとして働きます。カロリーの高い加工食品ばかりを食べることがよくないのであって、加工食品を食べてはいけないということではありません。

　また、世界に目を向けてみると、多くの国は栄養学や医学の知見に沿って食事のガイドラインを作っています。実際のところ、NOVA分類のように加工の度合いによって食材を分類し、生のものを食べるよう勧めるガイドラインは異色です。

　NOVA分類は、超加工食品を目の敵にすることで、「加工していない食べ物こそヘルシーで素晴らしい」というイメージを肯定してくれます。しかし、少し悔しいですが、物事は必ずしもイメージ通りには進まないようです。栄養学や医学によって客観的に得られた知識は、しばしば私たちのイメージを覆します。

　医学や栄養学に照らすと、どうやらNOVA分類は私たちの健康を応援はしてくれないようです。イメージを肯定してくれるだけでは、体の健康は守れません。**科学によって根拠づけられた、客観的に判断できるガイドラインを信頼したいもの**です。

 ## 権威と研究成果

　NOVA分類を提唱しているのは、ブラジル・サンパウロ大学の権威ある博士のグループです。サンパウロ大学は名門大学で、この博士も同大学の疫学センターを率いる重鎮です。

　一方、NOVA分類は他の研究者によるさまざまな批判を受けていますが、それに対する回答は科学的・建設的なものではありません。食生活を見直すための科

- ナチュラルあるいは
  最小限に加工した食品
  生の食材や、乾燥・冷凍したもの。

- 加工食品
  油や砂糖で加工したもの。

- 超加工食品
  油や砂糖を使っていて、
  かつ成形したもの。

うーん…そういう分け方も
できなくもない

大事なのは、これが
健康につながるかです

図1.3.2　NOVA分類は食品を三つに分類している

学的な基準としては、信頼性に欠けるところがあります。

　素晴らしい研究をしていることが、権威につながるときもあります。しかし、権威があるからといって信頼できる研究成果を出しているとは限らないのです。

　超加工食品とは、油脂や砂糖などを用いて成形された食品のことである。NOVA分類では超加工食品を避けることを推奨しているが、栄養学や医学によるとさまざまな食品をバランスよく食べることが大切である。

カフェインとの付き合いはいつから？

> **エナジードリンク**
>
> 忙しくなってきた。最近エナジードリンクをよく飲む。よく効く反面、効きすぎることもある。
> カフェインが入っているというのだが、カフェインとはコーヒーに入っているものではなかったか？ いつ頃成分として使えるようになったのだろうか。

誰かの相棒、誰かの敵

　エナジードリンクの主成分は糖分とカフェインです。糖分は脳にエネルギーを供給し、カフェインは覚醒作用によって眠気を和らげ、目の覚めた状態を作り出します。仕事や勉強のお供として飲まれています。

　カフェインは、今ではこうして単体で食品に利用されていますが、元々はその名前にあるようにコーヒーに隠れていました。ドイツの科学者、ルンゲが発見し、のちに単離精製することが可能になりました。

　覚醒状態を作ってくれるカフェインですが、中には苦手な人もいます。現在ではカフェインを取り除く技術もでき、カフェインレスコーヒーが市販されています。人によって相棒でもあり敵でもあるカフェイン。ここではその歴史を振り返りながら、カフェインと私たちの関係について考えてみましょう。

きっかけはゲーテの一言だった

　カフェインはコーヒーやお茶、ココアなどに含まれている成分です。覚醒作用のほかに、集中力や作業能力を向上させる効果があります。科学的には、1,3,7-トリメチルキサンチンという名前で、窒素を含むアルカロイドという有機化合物の仲間の一つです。

18世紀、プロイセンではコーヒーが愛飲されていました。
しかし、コーヒーを外国から買うことで貧しくなり…

図1.4.1　18世紀のプロイセンではコーヒー禁止令が発せられていた

もっと知りたい！

お茶が発見されたのはいつ頃？

お茶は紀元前、古代中国で発見されたとされています。紀元前2700年ご
ろ、神農という神が、野草とお茶の葉を食べていたという逸話があり、この
頃には発見されていたと考えられています。この逸話は薬に関する中国最
古の書物、『神農本草経』に記されています。

　カフェインの名前の由来は、ドイツ語でコーヒーを意味するカッフェ（Kaffe）。
1819年にドイツ北部、ハンブルクの化学者、フリードリープ・フェルディナント・ル
ンゲがコーヒーから発見し、単離精製しました。この発見のきっかけとなったのは
同じくドイツの詩人、ヨハン・ヴォルフガング・フォン・ゲーテでした。ゲーテは戯
曲『ファウスト』などの作品で知られています。政治家、自然科学者でもあり、若

いときには錬金術の研究を行っていたこともありました。

　ゲーテは当時の多くのドイツ人と同様、コーヒーファンでした。ただコーヒーを飲むだけでなく、コーヒー豆の成分や化学的な構造を分析するように、化学者のルンゲに依頼しました。そこでルンゲが発見したのが、カフェインでした。

　ルンゲ以降、カフェインを扱う技術が発展します。1899年にはドイツの化学者、エミール・フィッシャーがカフェインを人工的に合成することに成功し、1902年にこの成果を含む功績でノーベル化学賞を受賞しました。1906年には、コーヒーからカフェインを取り除く技術も開発されます。

　カフェインを合成したり除去したりする技術が発達したことで、カフェインは広く利用されるようになりました。 カフェインの覚醒作用は仕事や勉強と相性がよく、エナジードリンクや栄養ドリンクなどの成分として使用されるようになりました。1987年には、今も広く飲まれているエナジードリンク、レッドブルが発売されています。また、血管を収縮させる作用が評価され、慢性の心臓疾患や狭心症の治療にも用いられました。

　一方でカフェインの覚醒作用は、どこでも歓迎されたわけではありません。 アスリートの世界では、運動能力を向上させる効果があるとして、2004年までの一時期、オリンピックで禁止薬物となりました。また、人によっては興奮作用によって体調が悪くなってしまったり、眠れなくなったりすることもあり、カフェインを含まないコーヒーも好まれるようになりました。

>> 時代と共に人間との関係が変わってきたカフェイン

　カフェイン自体は茶葉の中、コーヒー豆の中に昔からあったものです。しかし、ルンゲによって発見されて以来、人間社会で注目を集めることになりました。すると、覚醒作用によって仕事や運動に役立つものとされたり、「体調が悪くなる」と敬遠されたりするようになります。歴史が進むにつれ、人にとって良いものか悪いものかという意味付けがなされました。

　単なるコーヒーの一部だったものが、人と多様な関係を結ぶようになってきたのです。

水法	有機溶媒法	二酸化炭素法
水に生の豆を浸した後、その水に有機溶媒を触れさせてカフェインを溶かし出す。	ジクロロメタンなどの液体を生の豆に触れさせてカフェインを溶かし出す。	超臨界流体という液体と気体両方の性質をもつ状態にした二酸化炭素を豆に触れさせます。

特に二酸化炭素法はコーヒーの成分を損なわず、安全に抽出できる優れものです

図1.4.2　カフェインをコーヒーから精製する方法にはいくつかある

人の社会と自然界

　カフェインのように、人の社会で注目されるようになったことで、良いもの悪いものというイメージがついたものは、他にもあります。放射線もその一つです。放射線は人類が地球に現れる前から存在していました。しかし、健康や環境に大きな影響を与えてきた歴史から、社会の中で「放射線」という言葉は重い意味をもっています。

　自然界に当たり前に存在しているものでも、人の社会の中での意味は、その物質が人に与えてきた影響によって変わってくるのかもしれません。

　カフェインはゲーテの依頼がきっかけで、19世紀に単一の成分として使えるようになった。覚醒作用などの効果によって、仕事や運動に利用されたり、反対に遠ざけられたり、人と多様な関係をもっている。

朝ごはんは必要なのか？

食べなくても動けるけど

朝、起きるのはとてもつらい。少しでも長く布団の中にいたい。加えて、朝は出掛ける準備など、やることもたくさんある。最近は、遅めに起き、朝ごはんを食べずに昼ごはんをしっかり食べたらどうかと思えてきた。
朝ごはんの意味って、何なのだろう。

なぜ朝ごはんを食べるのか

　朝は忙しく、なかなかゆっくりごはんを食べる時間を確保しづらいものです。ここ数年、新型コロナウイルス感染症の影響で在宅勤務やオンライン講義が多く行われています。通勤や通学の時間が減り、朝ごはんを食べる時間を見直した人もいるかもしれません。

　江戸時代以前には、朝ごはんなし、一日二食が定番でした。当時、人々は太陽が昇った頃に仕事を始め、昼ごろに家で一食、その後夕方に一食を食べ、日が沈むと床に就く、という生活を送っていました。

　それなら、今でも一日二食でも生活できるのではないか。どうして朝ごはんが必要なのか、という疑問が出てきます。朝ごはんを食べることには、どんな意味があるのでしょうか。

　ここでは、現代における朝ごはんの効果を科学の視点から考えてみます。

寝ている間にも

　人はなぜごはんを食べるのでしょうか。その理由の一つは、活動するためのエネルギーを得るためです。

一日何もしなくても消費するエネルギーは…

ごはん
5杯分

このエネルギー量は、20代、50kgの人が
3時間ランニングするのと同じくらい！

図1.5.1　基礎代謝は1日ごはん5杯分

＼もっと知りたい！／

海外の朝ごはん事情

日本では自分の家で朝ごはんを食べることが日常となっていますが、海外で
は屋台や外食で食べることもあります。筆者が2018年ごろに訪れた香港
では、朝の6時頃には飲茶のお店が開いていました。お粥やお茶を飲みな
がら交流したり、新聞を読んでリラックスしたり……こんな朝ごはんもある
のかと、異文化を味わいました。土地によって朝の風景もさまざま
ですね。

　人は安静にしていてもエネルギーを消費しています。これを基礎代謝といい、
20代の人の基礎代謝は一日当たり1100kcal〜1520kcalにもなります。
　基礎代謝においてエネルギーを消費しているのは、筋肉や心臓、肝臓です。血

液の循環や呼吸、体温の維持のためにエネルギーを消費しています。朝起きると、なんとなく頭がぼんやりして、気持ちが暗い感じになることがあります。これは、**寝ている間に体が基礎代謝を行っているからです。**

　では実際のところ、夜に摂取したカロリーは、寝ている間に割合にしてどのくらい消費されてしまうのでしょうか。十分な睡眠をとった場合には300kcalほどが消費されます。運動に換算すると、4〜5キロのランニングくらいです。

　通勤や通学、軽いスポーツなどをしている20代の場合、一日に必要なエネルギー量は2000kcal程度。三食食べる場合は1食当たりのカロリーは600〜700kcalくらいですから、晩ご飯の半分くらいは、寝ている間にエネルギーが消費されてしまいます。

　寝ているうちに消費されるエネルギーのうち、注目したいのが脳の活動です。人が一日に消費するエネルギーのうち、脳が消費する割合はおよそ20%にもなり、寝ている間にも消費は続いています。脳の活動のためにはブドウ糖が必要で、体は肝臓にためた糖を使うことでやりくりしています。寝ている間には肝臓に糖は新しく供給されず、在庫が減っていってしまいます。

　そんなわけで、**朝起きてすぐのときには、血糖値が下がり、脳も体全体も栄養不足になっています。**朝ごはんを食べることは、欠乏したエネルギーを補給し、血糖値を上げ、活動しやすい体を作ることにつながります。また、朝ごはんを食べずに昼ごはんを食べると、血糖値がぐんと上がってしまい、下がりにくくなることが知られています。

　現代の科学に基づけば、エネルギーを朝補給したほうが体にはよさそうです。

＞＞　夕方〜昼の間、おなかは空かなかったのか？

　さて、江戸時代には人々は朝起きてからすぐに働いていたようですが、朝におなかは空いていなかったのでしょうか。夕方、18時にごはんを食べ、次にごはんを食べるのは翌日の昼とすると、その間およそ18時間。人によっては、できることなら食べたいと思っていたかもしれません。

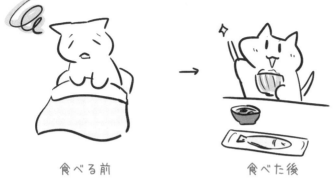

朝ごはんを食べるとどんな変化があるのか？

食べる前

血糖値が下がっている

体温が下がっている

脳も体も栄養不足

食べた後

血糖値が上がる

体温が上がる

栄養をゲット！
脳の一部が活性化

図1.5.2　朝ごはんと体の関係は、栄養学などの専門家によって調べられている

 ## 習慣と科学の距離感

　科学的な観点では朝ごはんを食べたほうが体によいのですが、実際の生活にはいろいろな事情があります。心身のバランスを崩していて朝ごはんを食べることが非常につらいときは、とにかくやり過ごすのも選択の一つです。バナナ1本から始めてみるなど、自分に合わせてより気分よく過ごせる生活にシフトしてみましょう。

　人は寝ている間にもエネルギーを消費している。朝ごはんを食べることは、エネルギーを補給し血糖値を上げ、体を活動させることに役立つ。

おいしさはどこから生まれる？

スパゲッティを食べてみる

小さい頃、家でよく食べていたミートソースが懐かしくなり、作った。少しだけ味噌を入れるのがポイントだ。相変わらずおいしい。小さい頃の楽しい記憶がよみがえる。

楽しい、嬉しいという気持ちは頭の中で生まれているらしい。おいしい、というのもそうなのだろうか。

 ## おいしいとはどんなことか

　マドレーヌを紅茶に浸すと、その味で幼少期を思い出す……。フランスの小説家、マルセル・プルーストの作品『失われた時を求めて』の一節です。私たちの食事と記憶は、深く結び付いているのかもしれません。

　これまで、食事についての科学的な研究が、栄養学や医学などの分野で行われてきました。食事には謎がたくさんありますが、おいしさのメカニズムもその一つです。実は近年まで、人がどのようにおいしさを感じるのか、よくわかっていませんでした。

　食事をするとき、私たちは料理からさまざまな情報を受け取っています。好きな食べ物を食べたときのことを思い浮かべてみてください。その食べ物の味、香りや見た目、温度、歯触り、のどごし、あるいはグツグツ、シュワシュワといった音。そして周りの環境。たくさんの情報があることがわかります。

　これらの情報は、どのようにおいしさに結び付いているのでしょうか。おいしいという感覚は、どこからやってくるのでしょうか。

　ここでは、おいしさを科学する研究についてご紹介します。

図1.6.1　私たちは、体で食べ物の情報をキャッチしている

\もっと知りたい！/

column

分子レベルの料理

食材を実験のように調理し、分子レベルまで作り込む調理法があります。名前は、分子ガストロノミーです。分子とは原子・分子の分子、ガストロノミーとは、美食学という意味です。食材を分子レベルで捉え直し、自由に組み合わせたり形を変化させたりします。

その調理の様子は、あたかも科学実験のようです。道具は化学薬品を滴下できそうなピペットや注射器のようなシリンジなどで、ゲルや泡、液体窒素まで扱います。「料理は科学」、を地でいく調理法ですね。日本国内にも取り扱うお店があり、美食家を集めています。

前に食べたときは……

　私たちは普段、意識していなくても身の回りのさまざまな情報を集めています。食事をするときには、料理を見て、味を楽しむだけでなく香りをかいだり、音を聞いたり、口当たりを感じたりしています。また、明るい、暗い、リラックスできるといった、周囲の環境も感じ取っています。

　こうした情報は体のセンサー、感覚器官で集められます。感覚器官とは、目や舌、鼻、耳、皮膚などのことです。目は視覚の情報、舌は味覚の情報、といったように、分担が分かれています。感覚器官はそれぞれ、光や音、分子やイオンを受け取ることで情報を集めています。

　例えば、舌には味蕾という、花の蕾のような形をした部分があります。この中には、分子やイオンを受け取る味細胞という細胞が50～100個ほど入っています。食べ物は口の中で噛み砕かれると、唾液で分解されて分子やイオンになります。これらを味細胞が受け取り、脳の味覚野という部分に電気信号で味の情報を伝えます。

　さて、感覚器官から脳に伝えられた情報は、どのようにおいしさにつながるのでしょうか。脳には視覚、聴覚など感覚ごとに情報を受け取る部分、感覚野があります。脳は感覚野で得られた情報を総合し、食べ物を認識します。食べ物の情報はさらに扁桃体という部分に伝わります。**ここで脳は、過去の記憶や情報を引っ張り出し、「この食べ物を食べると快感があったか不快だったか」を判断します。**快感があったものは食べてもOK、好きとして、反射的に食べ物を飲み込むよう、今度は脳から体に電気信号が送られます。不快だったものには食べるのをやめるブレーキがかかります。

　好き嫌いは、本能的な要素や過去の記憶によって決まります。例えば人は酸っぱいものを嫌い、甘いものを好む傾向があります。これは自分にとって毒になるものを避け、栄養になるものを摂取しようとする本能によるものです。また、肉にあたってしまって肉が嫌いになったり、ほうじ茶を飲んでほっとした記憶からほうじ茶が好きになったりします。

　脳でおいしさが生まれるのは、好きなものや、過去に食べて快感だったものを食べたときです。この時、脳内では幸福感をもたらすβエンドルフィンやアナンダ

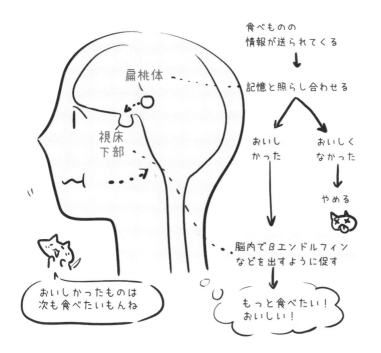

図1.6.2　おいしさは脳で生まれる

マイドという物質が分泌されます。これはおいしかった、食べたい、食べたらやっぱりおいしい、飲み込む、もっと食べたい、というように、快感や幸福感、食欲が連鎖することで、おいしさはさらに強く感じられるようになります。おいしさは快感の記憶と幸福感からやってくるのです。

おいしさの科学

　食事は私たちの生活の一部であり、楽しみでもあります。一方で食事を科学の視点から見ると、食事は生命活動の一環です。食事する間、私たちの体は栄養を摂取し、食べ物の記憶を蓄積しています。最近では、嫌いな食べ物を克服するメカニズムについても研究が進んでいます。おいしさは、まだまだ研究者の興味を引きつけそうです。

おいしさのメカニズムは、科学的に研究されている。食事をすると、頭の中には感覚器官が集めた情報が集められ、過去の記憶と照らし合わされる。快いと感じたものを食べるともっと食べようとする反応が起こり、おいしさを生み出す。

\もっと知りたい！/

生きものの体と砂の城

福岡伸一さんの『生物と無生物のあいだ』という本には、海辺に作られた砂の城が登場します。砂が風でやってきては波に運び去られ、砂の城は少しずつ変化し続けます。

私たちの体も、毎日新しい食べ物を取り込むことで少しずつ変化し続けています。3カ月前の自分の体と比べると、今の自分の体はほとんど別のものでできているそうです。

両者の関係を、科学はこれからも少しずつ明らかにしてゆくことでしょう。

食べることと生きることには、やはり深い関係がありそうです。

第 2 章

数字と科学

数字ってなんか
ゴツゴツしてる気がして
ちょっと苦手……

ほええ、ちょっと
仲良くなれるかな

数値やグラフに
慣れるまで、
ちょっと大変かも

この物語は本物？

2.1
数字

ニコラス・ケイジが映画に出演すると？

面白いグラフを発見した。俳優のニコラス・ケイジが出演する映画の作品数と、プールで溺死する人の数には因果関係があるというのだ。
実際には、その間には因果関係はないと思う。こういうことは、科学で扱われているのだろうか。

 ## 風が吹けば桶屋が儲かる？

「風が吹けば桶屋が儲かる」ということわざがあります。江戸時代の文学（町人文学、浮世草子）に由来する言葉とされ、意外なところに影響が出ることや、当てにできそうにない期待をすることを指します。理屈としては、強い風で砂ぼこりが立ち、砂ぼこりが目に入って失明する人が増え、三味線（当時、視覚障がい者の方の職業でした）を買う人が増え、その材料になる猫が狩られ、ネズミが増え、ネズミが桶をかじり、桶屋が儲かるというわけです。一見、因果関係のなさそうなことに説明がつくように見えるのが、このことわざの面白さといえます。

実際のところ、砂ぼこりが目に入っても失明する人がどのくらいいるのか、どのくらいの猫が狩られてしまうのか、どのくらいのネズミが桶をかじるのか……と段階それぞれを考えると、やはり桶屋が儲かることはほとんどなさそうだと想像できます。しかし、風の強さと桶屋の収入がもしグラフで出てきたら……因果関係がないのに「確かに風が吹けば桶屋が儲かる」と納得してしまうかもしれません。

こうした、一見因果関係があるように見えても、実際には因果関係がない関係のことを、擬似相関といいます。擬似相関の中には、実際には因果関係がないものだけでなく、その間に別の事象が介在しているものもあります。ここではそんなデータが見せる錯覚、擬似相関についてご紹介します。

図2.1.1 「風が吹けば桶屋が儲かる」のイメージ

Column

ナイチンゲール ～看護師であり、数学者～

擬似相関は統計学の分野で使われる言葉です。ここでは統計学を大きく前進させた人物、ナイチンゲールを紹介します。

ナイチンゲールは19世紀にイギリスで活躍した看護師。数学者について数学を学び、統計に基づいた病院の衛生管理を行いました。クリミア戦争では病院での死亡率を激減させ、後に白衣の天使と呼ばれました。

 擬似相関って何だ？

いま、二つの量があるとします。相関関係とは、一方の量が変化するともう一方の量も変化するという関係のことです。擬似相関とは、相関があることであたかもその二つが因果関係をもっているかのように見える関係のことです。このと

き、二つの間に実際には因果関係はありません。あくまで相関があることで、因果関係を連想させてしまうのです。

　図2.1.2のグラフを見てみましょう。日記にある、俳優ニコラス・ケイジの出演作品数とプールで溺死した人の数を並べたグラフです。ニコラス・ケイジの出演作品が増えるほどプールで溺死した人が増えていますね。しかし、その間に因果関係はないことでしょう。

　「風が吹けば桶屋が儲かる」ということわざは、風が吹いたことで桶屋が儲かる、つまり風と桶屋の儲けに因果関係があることを意味します。しかし、実際には風と桶屋の儲けに直接の因果関係はありません。**もし風が強いときほど桶屋の儲けが増える、という相関を示すグラフが出てきても、それは擬似相関の可能性があります。**

　いや、擬似相関だとしても、間にある段階によって因果がつながっているのかもしれません。それでは、各段階に注目してみます。強い風によって砂ぼこりが立つ、これはありそうです。砂ぼこりが目に入って失明する人が増える、これはあまり起こらないことでしょう。失明した人の中で三味線を買う人が増える、これは当時ならありそうです。三味線の材料になる猫が狩られ、ネズミが増える、これもありそうですね。しかし、そもそも砂ぼこりで失明する人が少数なので、巡り巡ってネズミに桶がかじられることはそれほどなさそうです。

　今回のことわざにある説明では、やはり風と桶屋の儲けの間に因果関係は説明できなさそうですね。風の強さと桶屋の儲けのグラフに相関があったとしても、直接の因果関係がないならば、その相関は擬似相関と考えられます。

　実際のところ、二つの量の関係が擬似相関なのかそうでないのかは、統計学の手法を用いて判断されます。その専門的な判定方法の説明が気になる方は、ぜひ統計学の関連書を手に取ってみてください。

 ## 現実世界は思っているより複雑

　グラフやデータで、二つの量の関係性が示されることは多くあります。しかし、その関係性は印象とは異なる場合もあります。データの見せる極端な物語には注

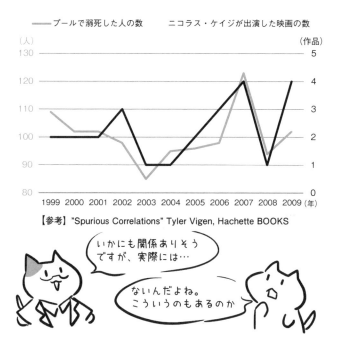

【参考】"Spurious Correlations" Tyler Vigen, Hachette BOOKS

図2.1.2　有名な擬似相関の具体例

意が必要なのです。余裕がないとき、極端な物語は魅力的に見えることがあります。健康や安全のために客観的な判断が必要になるときには、少しだけ科学のことを思い出してみてください。極端な物語を落ち着いて見つめるために、科学が味方になってくれるかもしれません。

擬似相関とは、一見因果関係があるように見えても、実際には関係のないデータのこと。見せ方によって因果関係を示すようなデータには注意が必要である。

数字があれば科学的？

数の背後にあるもの

ニュースやCMでは、研究成果や実験結果を表す数値がよく出されている。でも、よく見てみるとどういう実験なのかは詳しく書かれていないみたいだ。もしかして数字が出てきても科学的ではないものもあるのだろうか。

 ## 科学が大切にしているもの〜再現性〜

　理系の大学生は多くの場合、実験の講義を受けています。その講義の中では実験レポートの書き方も学びます。実験レポートには実験の動機に始まり、日付と時刻、天気と気温、実験に使ったもの、実験方法を書く必要があります。その後に結果がきて、最後に考察を書く、という流れになっています。

　実験の動機や方法はまだしも、日付と時刻はどうして書く必要があるのでしょうか。その理由の一つは、科学が大切にしているもの、再現性を守るためです。

　科学はこの世界の普遍的な法則を探るものです。誰かが得た成果は、誰もが再現できるものでなくてはなりません。誰がやっても、同じ条件であれば同じ結果が再現できること。これを再現性といいます。

　データに再現性をもたせるためには、その実験を行った条件をできるだけ再現する必要があります。晴れた日と雨の夜では、花火をしても火の着き具合や様子が変わるでしょう。実験も、その場の湿度や気温が関係してくる可能性があります。

　実際に研究においても、先に出版された論文の追試をすることがままあります。同じ条件で同じ結果が出るのか、もう一度試そうというわけです。ただ数字が書いてあっても、再現性を確かめるのに十分な情報をもっていなければ、科学的に信頼できるかがわかりません。

理系学生の必ず通る道、実験ノート

実験の様子を正確に
きちんと記録するんだ

ボールペン
簡単に消したり
書き直したり
できないように、
ボールペンを使う。

実験ノート
ページを差し替え
られないように、
綴じてあるノートを
使う。

日付、天気、
温度、湿度、
使ったもの、手順、
結果…

このノートをもとに、実験レポートを作成する。

図2.2.1　実験ノートをとる道具にも、正確さを守る工夫がある

\ もっと知りたい！/

疑うことと学ぶこと

普段の生活では、なかなか数字や実験の背景を疑うことは難しいものです。
仕事や勉強がありますし、世間話をするときにはその内容を疑ってかかるば
かりでは話が進まないこともあります。一方で、科学する上では疑ってみる
ことが大切です。疑うとは、本当に成り立つのか、誰がやっても再現できる
のか、という視点を持つことです。疑う気質が強すぎて勉強が進まない人
は、もしかすると科学に向いているかもしれません。

勉強するときには一度飲み込むことも大切です。信頼できる入門書や学術
書を学ぶ際には、いったん、内容を飲み込んでみることも一つの手です。疑
うことと飲み込むことのジレンマがありますね。

科学が大切にしているもの～反証可能性～

科学にはもう一つ、大切なものがあります。それは反証可能性です。反証可能とは、何らかの形でその理論が誤っているかどうかを試すことができるという意味です。

例えば、「水に心を込めて優しい言葉をかけると、きれいな氷の結晶ができる。ただし、運が悪いときれいな氷の結晶はできないこともある」という理論があったとしましょう。実際に心を込めて水に優しい言葉をかけて、きれいな氷の結晶ができなかったとします。これは先の理論に対する反証です。

しかし、この反証はかき消されてしまいます。「きれいな氷の結晶ができないのは、実験者の運が悪かったからだ」と言われてしまうからです。この理論に対する反証は不可能、つまり反証可能性がありません。よって、この理論は科学的ではありません。

実験を行えば、水に声をかけた日付やその日の温度、湿度、水の量などを計測することはできます。しかし、そうして数字を集めてみても、数字が科学的な理論に基づいていなければ、科学的に信頼することは難しくなります。

 ## 本当に科学的かを考える

私たちの身の回りは多くの数字であふれています。そして数字は、大きさや規模を鮮明にイメージさせることができます。科学的な議論をしていなくても、数字を使えば信じてもらいやすい土台を作ることができてしまうのです。数字が出てきたときにはそのまま鵜呑みにせず、背景を考えてみるのも一手です。

再現性　　　　　　　反証可能性

実験の条件が同じなら
誰でも同じ実験結果を
得られること

理論が正しいかを
チェックする客観的な
手段があること

実験の結果が同じにならないとか、
確かめる方法がないものは
科学的にはよくありません

図2.2.2　科学が大切にしている二つのこと

まとめ

　数字があるとわかりやすいと感じるが、その背景にある実験の条件や情報源を確かめることが大切。数字を使っている説明が科学的に信頼できるものかどうか、再現性と反証可能性を頼りに考えてみよう。

思ってたのと違う割合?

調べ方と表し方

今日も、新型コロナウイルスへの新規感染者数がどんどん増加していくのを見て、「広がっていく一方なのか」と憂鬱になった。しかしどんどん増えるにしても、回復している人もいるはず……。話題になっていたのは感染した人の数で、感染している人の数ではなかった。調べ方や表し方によって伝わる情報が変わることは、他にもあるのかな。

割合のイメージと実際のデータ

　ニュースや新聞、企画のプレゼンテーション、食品のパッケージなど、あらゆるところに数字があふれています。1日で20万人感染、利用者の90%以上が満足、乳酸菌300億個配合……数字によってさまざまなイメージが伝わります。数字には絶大な説得力があるようです。

　こうした身近に現れる数字の一つが、割合です。90%以上の人が満足、6割以上が賛成といったように、商品の広告や世論調査など、さまざまな場面で登場します。

　しかし、数字が印象どおりの内容を指しているとは限りません。時には、数字から得るイメージと数字が指し示す内容にずれがあったり、数字の意味が想定と違っていたりすることもあります。

　数で表されるものにもいろいろありますが、イメージと内容のずれは、割合が出てきたときにも起こります。今回は割合について振り返り、目の前にある割合の数字がどんなものの数を指しているのか、考えるためのポイントをご紹介します。

\もっと知りたい！/

割合の示し方には視覚的な情報も大切！

割合を表示するためによく円グラフが使われますが、立体の円グラフには注意が必要です。下のイラストの中では、手前側に来ている部分が奥の部分よりも大きく見えます。しかし、このグラフを平面に直すと、手前の部分と奥の部分の面積は同じなのです。これは立体であること、色の差によるものです。パッと見た印象よりも、実際はどうかを疑うことも大切です。

手前側の方が大きく
見える…？

実際は6等分！

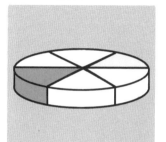

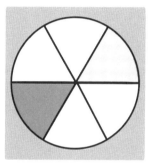

見かけの大きさが変わるんだ。
自分が使うときも気をつけよっと

図2.3.1　立体円グラフには気をつけよう！

集団の傾向を見るためには？

　今、全国の小学1年生に好きな教科のアンケートを取りたいとします。このとき、母集団となるのは全国の小学1年生です。小学1年生たちは、2020年の時点で、全国で約100万人。膨大な数です。こうした多くの人や多くの要素からデータを集めるには、二つの方法があります。一つが全数調査、もう一つが標本調査です。

全数調査とは、母集団の全てからデータを集めることです。ここでいうと、全ての小学1年生に好きな教科は何ですか？ と質問することに相当します。**標本調査**とは、母集団から無作為に対象（＝標本）を選び、データを集めることです。ここでいうと、全国の小学1年生からランダムに小学1年生を選び、好きな教科を質問することにあたります。

　一部を調べるだけでいいのか？ という疑問をもたれる方もいらっしゃるかもしれません。集団のある一部を調べることで集団全体の特徴を正しく調べることができるかどうかは、統計学によって調べられます。このことを、ある人は「味噌汁の味見」で表現しました。味噌汁の味を確かめるために、味噌汁を全部飲み干す必要はないのだ、ということです。

>> 集団の傾向を発表するためには？

　さて、こうしてデータを集めて、好きな教科を発表するときに気を付けたいことがあります。それは、**母集団をきちんと明記すること**です。今回の母集団は、2020年の全国の小学1年生です。もし「小学生」「1年生」とだけ表記してしまえば、読む人に伝わる印象が変わってしまいます。

　また、**どうやって無作為に抽出したのかを明記すること**も大切です。無作為に抽出する、とはランダムに選ぶということです。世論調査では、電話番号をランダムに発生させる方式がよく採られますが、それは東京都の人だけであるとか、何かに登録している人だけ、のような標本の偏りをなるべく減らすためです。

　そもそも「全国の小学1年生」のような、確定できる集団を母集団に選んでいるかも大切です。例えば、母集団を「2021年のある日に歌を歌っていた人々」とすると、特定することが非常に難しいものになります。無意識に鼻歌を歌っている人がいるかもしれないからです。

母集団

調べる対象すべての集まり。
これを使うのが、全数調査。

ランダムに取り出す

標本集団

母集団からランダムに抽出した
サンプルの集まり。
これを使うのが、標本調査。

図2.3.2　全数調査と標本調査の違い

 ## 印象よりデータが大切

　以上のように、アンケートの結果やデータを調べ、示すためには注意点があります。どれも、データの受け手から見て、どのような調査をしたのかがよくわかるようにするためのものです。逆に、そういった配慮のない統計情報には注意が必要です。

　データの調べ方と表し方によって、数字の伝わり方が変わることがある。割合もその一つであり、データを受け取るとき、表すときには意図が正確に伝わるよう、注意が必要である。

１＋１はなぜ２なのか？

数字 2.4

当たり前のこと

科学の基本は当たり前のことを疑うことだという。騙されたと思って身の回りで当たり前のことを疑ってみることにした。

小学校の算数で「1＋1＝2」という式があったことを思い出した。さすがにこれは当たり前のような気がするが……1＋1はどうして2なのだろうか。

 ## １＋１＝２の証明

「1足す1が2であることを証明してください。」と言われたら、あなたはどのように証明しますか。りんご1個と1個を合わせたら2個になる。これを式で表すと、1＋1＝2になる。これも一つの証明方法かもしれません。

しかし、こんな風に考える人がいたらどうでしょうか。「そもそも1とは、2とは何なのだろう」。りんごを見たことがない人、宇宙人には、どのように説明したらよいでしょうか。

古代ギリシャ時代には、数学には証明は必要とされておらず、全てを論理的に説明するという形は取られていませんでした。私たちが小学校や中学校で習うように証明を重視するスタイルを確立させたのは、紀元前5〜6世紀頃のピタゴラス学派という人たちです。

時代は下り、数学の一分野を純粋に記号と証明のみによって構成しようとした世代が現れました。その一人が19世紀イタリアの数学者、ジュゼッペ・ペアノです。ペアノはりんごのような具体的なものを使わず、1, 2, 3のような自然数がどのようなものかを言葉と記号だけで定めました。ここではペアノによる自然数の定義と、それを用いた1＋1＝2の証明について紹介します。証明が苦手な人でも大丈夫です。記号と約束の世界を一緒に楽しみましょう。

ジュゼッペ・ペアノ
(1858~1932)

イタリアの数学者、論理学者。
記号論理学という学問の
創始者でもある。

こんなエピソードも…

猫が誰にも回されてないのに
空中でくるっと回るのは
物理法則を無視してませんか?

体を回している分しっぽを
逆方向に回すので法則には
反してません

いいぞーペアノ先生!

図2.4.1 ジュゼッペ・ペアノについて

もっと知りたい!

いろいろな場面で役に立つ? 教科書の表現

数学の教科書では、「このような四角形を正方形と呼ぶ。」というように、一見くどいくらいに定義や説明が書かれています。その理由の一つは、科学や数学の議論の上では、誤解がないことが大切だからです。議論のどこかが誤っていたり、誤解されたりしたら、誤った前提から誤った結論にたどり着いたり、お互いに議論が通じなくなったりして大変です。

最初から最後まで誤りなく、誤解なく伝えるために、「こんなことはわかるよ」ということでもくどいくらいに書きます。議論の前提を共有することは、ある意味優しさなのかもしれません。

数を記号で考える

「1+1=2」という式には1と2という数字、+という記号が含まれています。ま

第2章　数字と科学

ずは数字に注目してみましょう。1や2のように、0より大きい整数のことを自然数と呼びます。ペアノはこの自然数がどのようなものかを、「**ペアノの公理**」という五つの約束で定めました。

<ペアノの公理>
次の性質をもつ集合Nを考える。
(1) 集合Nは1という要素をもつ。
(2) 集合Nの各要素に対し、その後に続く数が一つだけある。
(3) 互いに異なる要素の後に続く数は、互いに異なる。
(4) 1を後に続く数とする要素は存在しない。
(5) 集合Nの要素1がある性質Aを満たすとき、集合Nの要素nが性質Aをもち、かつnの後に続く数も性質Aをもつならば、集合Nの全ての要素は性質Aをもつ。
この時、Nを自然数の集合といい、Nの要素を自然数という。

次に、+という記号に注目してみます。これも定義しておきましょう。集合Nのある要素nについて、n+1=n の後に続く数、という関係が成り立つとします。今、aという仮の自然数を考えます。これに別の自然数bの後に続く数を足すとします。このとき、a+(b+1)=(a+b)の後に続く数、という関係が成り立つとします。また、自然数aに対してa+0=a が成り立つとします。

さて、材料の準備が整いました。今約束した数字と記号の定義から、1+1=2は真である、という命題を証明してみましょう。

(1)より、1は自然数であることが認められました。次に(2)より、1の後に続く数に対応するものがただ一つあることがわかります。これを2と表す、としましょう。今、a=1とすると、a+(0+1)は1+1ですね。これは(a+0)=(1+0)=1の後に続く数です。1の後に続く数は先ほど2と表そうと決めました。よって、左辺が1+1、右辺が2。つまり、1+1=2 となります。

このように、自然数のイメージや具体的なものを使わなくても、記号によって1+1=2という結果を得ることができます。

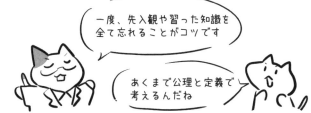

一度、先入観や習った知識を
全て忘れることがコツです

あくまで公理と定義で
考えるんだね

(1)より、1 があることがわかる。
(2)より、1に続く数があることがわかる。
これを2とする。

a=1、b=0とすると、
 1+1 = a+(b+1)　…①
と表せる。

また、以下の関係が成り立つ。
a+(b+1) = (a+b)+1…②

a+b=1+0=1 であり、1に続く数は2であるから、
(a+b)+1 = 2…③ と表せる。
①～③より 1+1=2 となる。

図2.4.2　ペアノの公理による1+1＝2の解説

第2章　数字と科学

 ## 記号の力

　ペアノは、数学を、直感を使わずに論理だけで作っていくことを研究の目的としていました。また、少し異なるアプローチですが、フランス出身の数学者、ルネ・デカルトは、直感が必要だった幾何学を座標を用いることで、計算に落とし込みました。記号は慣れるまでは手触りの悪いものですが、実は直感やセンスがあるかどうかに関係なく、どんな人でも数の不思議に触れることができるようにしてくれる、心強い味方なのかもしれません。

まとめ

　記号は直観がなくても数の不思議にふれさせてくれる味方かもしれない。ペアノによる自然数の定義、ペアノの公理と足し算の定義を用いれば、論理と記号だけで1+1＝2が証明できる。

物理学と数学の関係は？

どちらも式を使っているけれど

物理学の話を聞くといつも不思議にモヤモヤ思うことがある。物理学の法則は、よく式を使って表されているみたいだ。ということは、数学で新しい式や理論が見つかったら、新しい物理学の法則が見つかるということもあるのだろうか。数学と物理学は、別々の分野だと思っていたけど、もしかしてお互いに関係しているのではなかろうか。

相互に関係してきた2つの分野

　数学は世界を読み解く言葉である、と主張した科学者がいます。イタリアの物理学者、ガリレオです。古代ギリシャの自然哲学者、アリストテレスをはじめとした人々が、数学を用いずに自然現象の仕組みを探究していた一方、ガリレオは「数学こそが自然現象を明らかにするための本当のツールである」と強く信じていました。その精神は、後の世代にも受け継がれていきます。

　数学を物理学に活用し、有名な物理法則を発見した大人物に、ニュートンがいます。ニュートンはイギリスの科学者で、数学でも物理学でも重要な発見を多く残しています。その中でも有名なのは、微分と積分、そして万有引力の法則です。

　微分と積分は数学の理論であり、万有引力の法則は物理学の法則です。学校では別々に習うことが多い二つのものですが、実はニュートンは微分と積分によって万有引力の法則を発見しました。数学が発展することで、物理学も発展していたのです。微分と積分の始まりから万有引力が導かれるまでには、どんな歴史があったのでしょうか。

　ここではニュートンに注目してその歴史を振り返りながら、数学と物理学の関係を考えてみましょう。

万有引力の法則

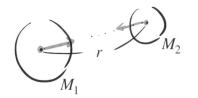

2つの物体の間には
お互いに引き合う力、
万有引力がはたらく。

式で表すと…

一方の
物体の質量

もう一方の
物体の質量

物体の間の
距離

万有引力の
大きさ

$$F = G\frac{M_1 M_2}{r^2}$$

Gはgravity（重力）の頭文字で、
万有引力定数という定数です

図2.5.1　万有引力の法則とは

もっと知りたい！

「物理学」の語源

物理学という言葉は、ギリシャ語のphysis（自然、あるがままの姿）に由来しています。自然のことやものの性質を扱う学問であることから、physicsと呼ばれるようになりました。

日本で「物理学」と訳されたのは明治時代になってからのことで、1883年、英語physicsの訳語として、物理学訳語会で決議されました。もともとは「物理」は中国の儒学で使われていた言葉で、儒学では社会的な道理や義理を含む万物のことわりのことを指していたようです。

数学する物理学者

1687年、『プリンキピア』という本が出版されました。正式名は『自然哲学の

数学的諸原理』。数学の本にも哲学の本にも思えるタイトルです。これが現在の力学の大きな要となっている本です。『プリンキピア』を書いたのは、イギリスの科学者、アイザック・ニュートンです。哲学者、数学者であり、物理学者でもありました。

　万有引力とは、二つの物体の間に働く、お互いに引き合う力のことです。その大きさは、二つの物体の質量に比例し、物体の間の距離の2乗に反比例します。質量が大きければ大きいほど大きな力が働き、距離が離れていればいるほど小さな力が働く、というわけです。

　微分と積分の始まりは、古代ギリシャ時代にあります。それは**アルキメデスという人が考えた「取り尽くし法」という方法です。**これは曲線をもつ図形でもその内側にごく小さな三角形などの多角形を描くことで面積を求めることができる、というものでした。

　その後、1637年デカルトが座標軸を導入します。デカルトは、この世界のものを数で表し、捉えようとしていました。座標軸は物差しのようなもので、平面の点の位置を数で表します。曲がった線も点の集まりなので、数や式で表すことができます。**座標軸の導入によって、曲線も計算で扱うことが可能になりました。**

　アルキメデスの考えたごく小さな図形で埋めていくというアイデアを、デカルトの導入した座標平面上で再現したものが積分、座標平面上の曲線の傾きを求める操作が微分です。ニュートンは積分と微分の基礎を築き、積分と微分は逆の操作になっていることも発見しました。これで、複雑な曲線で囲まれた面積も、微分と積分を用いて求めることができるようになりました。

　こうして創り上げた微分積分を、ニュートンは天体の運動を研究するために応用します。1610年頃にドイツの天文学者、ケプラーが観測によって見つけた惑星に関する三つの法則を、ニュートンは微分と積分によって調べ、太陽と惑星の間に引力が働くことを発見しました。さらに、その力が太陽と惑星間の距離の2乗に反比例していることも発見しました。観測による成果と数学によって、万有引力の法則が見出された瞬間でした。

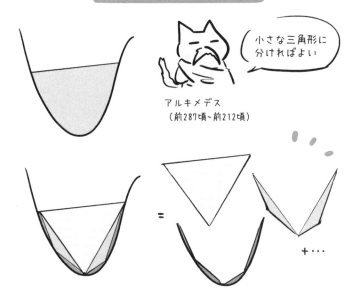

この面積、どうやって求める？

小さな三角形に
分ければよい

アルキメデス
（前287頃~前212頃）

= ＋・・・

**図2.5.2　アルキメデスは、複雑な図形も三角形に分ければ面積を求められると
考えた**

 ## 支え合う物理学と数学

　ニュートンは、微分積分学を構成し、その計算とケプラーが見つけた三つの法
則を用いて万有引力の法則を導きました。万有引力の法則は運動について調べ
る物理学の一分野、力学に欠かせないものであり、300年経っても全く色あせて
いません。もし微分積分がなかったら、万有引力の法則は導かれていなかったか
もしれません。**物理学と数学は教科としても分野としても独立しています。しか
し、それらは密接に関わっているのです。**

　ニュートンは古代ギリシャの面積を求める方法から微分積分学を打ち立て、それ
を用いて万有引力の法則を示した。物理学と数学は、力学と微分
積分学に見られるように密接に結び付いている。

不思議な数列が身近にある?

ひまわりの種

物理学では数学を使って法則を表すらしい。身の回りで数学を使って表される
ものはないか……と調べてみると、実はひまわりの種の並び方にも法則があ
るという。案外身近なところに規則正しいものがあるのかもしれない。

美しい秩序

　身の回りにあるものは、思わぬルールや規則正しい性質をもっていることがあり
ます。今手に取ってくださっているこの本のページは長方形です。長方形は縦に
半分、横に半分にしてもきれいにぴったりと重なる形。このような「ぴったり重な
る」特徴も、数学で表せる特徴の一つです。

　物体だけでなく、生物の形や数にも規則性は現れます。ここでご紹介するのは
その一つ、フィボナッチ数列です。

　**数列とは、その名の通り数の列のこと。フィボナッチ数列は、一つ前ともう一つ
前の数字を足した数字が、次の数字になるというルールをもっています。** ひまわ
りの花の中心部に並ぶ種の数がフィボナッチ数列で表せることが知られています。

　フィボナッチは数に没頭して、身の回りのものの数を数えていたそうです。普
段、ものの形や数を数えて過ごすことはなかなかないかもしれません。ここでは
フィボナッチになったつもりで、少し普段の生活を忘れて、数の世界を楽しんでみ
ましょう。

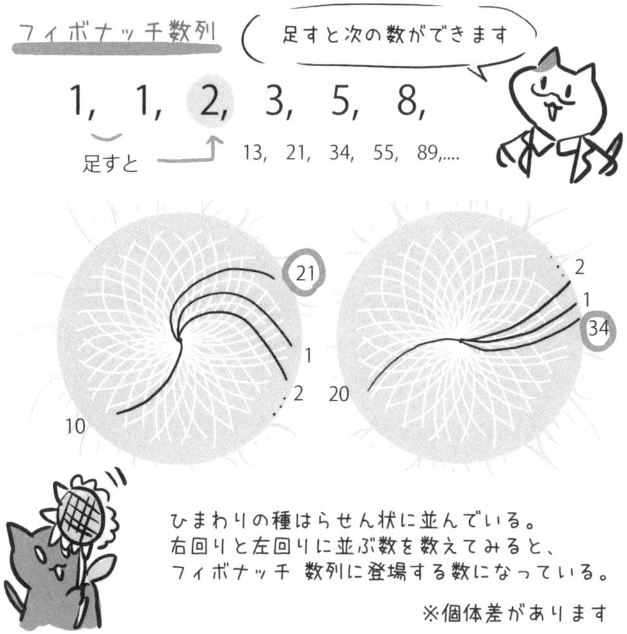

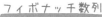

フィボナッチ数列（足すと次の数ができます

1, 1, 2, 3, 5, 8,

足すと　→　13, 21, 34, 55, 89,....

21

1

2　20

10

2

1

34

ひまわりの種はらせん状に並んでいる。
右回りと左回りに並ぶ数を数えてみると、
フィボナッチ数列に登場する数になっている。

※個体差があります

図2.6.1　ひまわりの種の数とフィボナッチ数列の関係

\もっと知りたい！/

column

数学者、レオナルド・フィボナッチ

フィボナッチは12世紀～13世紀のイタリアの数学者です。北アフリカに赴任したお父さんについてゆき、その後エジプトやギリシャを旅しました。各地で数字の記述法や計算方法を学んで帰国し、2年後に書いたのが『算盤の書』です。この中にフィボナッチ数やがアラビア数字が書かれていました。アラビア数字については2.8でも扱っています。

ウサギの数とフィボナッチ数列

フィボナッチ数列のルールを説明しましょう。この数列では、数列の前の数とその一つの前の数を足して、数を作っていきます。

初めに、項を二つ用意しておきます。最初に作る数のために、前の数とその一つ前の数を用意しておくのです。これを1, 1とします。次の項は前の数とその一つ前の数を足して作るので、1＋1＝2ですね（1＋1＝2となる理由は、本書の2.4でもご紹介しています）。次は1＋2＝3、その次は2＋3＝5……といった具合です。ここまでで、数列は1, 1, 2, 3, 5……のように出来上がりました。

さて、フィボナッチはこの数列を一体どこから見つけてきたのでしょうか。その答えはウサギの出生数でした。フィボナッチは、『算盤の書』の中でウサギの数に次のように注目しています。

ウサギがオスとメス1組で1組の子供を産むとしましょう。また子供も、生まれて2カ月後から毎月1組ずつの子供を産むとしましょう。初めウサギが1組いたとすると、数カ月後には何組のウサギがいるでしょうか。

最初にいるのが1組。1カ月後にはまだ生まれませんから、1組のままです。2カ月後には1組生まれるので、2組になります。3カ月後には、最初にいた1組が1組生むので3組になりますね。次の4カ月後には、最初の1組と、次に生まれた1組が1組ずつ生むので、3＋2で合計5組になります。

このウサギの組数を時系列に沿って並べると……1, 1, 2, 3, 5……確かにフィボナッチ数列と同じ数になっています。

実際には上記のルールは理想的なものですが、ひまわりの種の並びなど、生物の世界でフィボナッチ数列が現れる現象は多くあります。また、**生物との関係だけでなく、数学的な性質もフィボナッチ数列のおもしろさの一つです。**1, 1, 2, 3, 5……のように、自然数がたくさん続きそうであるにもかかわらず、フィボナッチ数列の各項を無限個足した和は－1になる、という結果が導かれます。正の数を足していくはずなのに和がマイナスとは、とても意外な結果です。

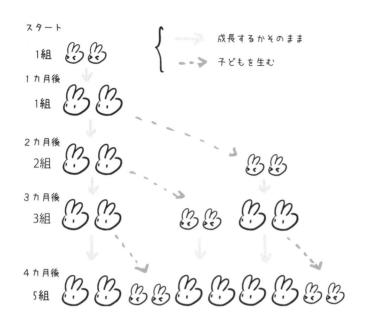

スタート

1組

成長するかそのまま

子どもを生む

1カ月後

1組

2カ月後

2組

3カ月後

3組

4カ月後

5組

図2.6.2　ウサギの数とフィボナッチ数列

身近にある数が数学への入り口

　身の回りに現れる数ですが、その性質を数学で追っていくと、また新たな側面に触れることができます。ものを数えるという行動自体はとても素朴なものですが、それが生み出すものはとても豊かなものです。

まとめ

　最初の二つの数を1としたとき、前の数とその一つ前の数を足した和で表される数列をフィボナッチ数列という。フィボナッチ数列は身近な動物などにも現れるだけでなく、数学的にもおもしろい一面をもっている。

「架空」の数字？

たくさん使われているらしい

物理学科の友人に会った。最近電磁気学の講義が始まって、そこでは虚数が登場するらしい。虚数といえば虚ろな数、と書く。1，2，3のような自然数ならものを数えるときに使うが、虚数を数えたことはほとんどない。それが物理学に使われていて、電気や磁気と結び付いているとはどういうことだろう。そもそも虚数は存在するのかな……。

 ## 2回掛けると−1になる

　2を2乗したら4、3を2乗したら9……といったように、何かの数字を2乗して得られる数字というと、プラスの数、正の数が思い浮かびます。それでは、2乗して−1になる数字は何でしょうか。

　答えはiです。現代では、2乗して−1になる数字は虚数単位と呼ばれています。記号では、多くは虚数を示す英語、imaginary numberの頭文字を取って、iと示されます。imaginaryとは「想像上の」という意味です。あるのかないのか疑いたくなるような、不思議な名前です。

　あるのかないのかという議論は、負の数にもありました。一方で、私たちは当たり前のように負の数を学校で学びます。負の数は「今日の気温はマイナス5度」「今月の収支はマイナス」といったように、日常生活でも多く使われています。

　負の数ほど直接には使っていなくても、数学や物理学の世界では、虚数は波や電磁気など、さまざまな現象を記述するために欠かせないものとなっています。また虚数を用いた研究は、身の回りの電気製品などに活かされています。虚数があるのかないのか、という状態から脱し、ここまで広く使われるようになるまでに、一体何があったのでしょうか。ここではその歴史に注目してみましょう。

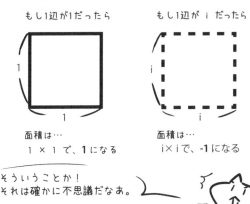

虚数単位 i ってどんな数?

2乗すると-1になる数のこと。
i は imaginary(架空の)の頭文字。
試しに正方形の面積で考えてみると…

もし1辺が1だったら / もし1辺が i だったら

面積は…
1 × 1 で、**1** になる

面積は…
i × i で、**-1** になる

そういうことか!
それは確かに不思議だなあ。
虚数が英語で「架空の数」なのも
ちょっと納得かも。

図2.7.1 面積、方程式から虚数を考えると……虚数単位って何だ?

もっと知りたい!

負の数の歴史

アレクサンドリアの数学者の一人にディオファントスという数学者がいます。
方程式や不等式を解いた人です。この人が生きた3〜4世紀頃には、今の
負の数は「引かれる数」と呼ばれていたようで、負の数が出てくる方程式を
避けていました。その後17世紀まで、数学では主に正の数が取り上げられ
ていましたが、16世紀にカルダノが言及、ガウスが図示して見せるなど、
頻繁に負の数を使うようになったことで次第に受け入れられるようになった
のでした。

虚数ってどんなもの?

17世紀頃、数学者の主な関心は方程式、特に2次方程式や3次方程式といった

方程式の解を求めることでした。これらの方程式の解は、因数分解や解の公式によって求めることができます。その中で、2乗すると負になる数が現れることが問題になっていました。

当初、数学者のカルダノはこうした数をfictious（虚構のもの）と呼んでいました。掛けて負になるものがあるわけがないと、多くの数学者も考えていました。

このような「ないものとする」風潮は、負の数が登場したときにも現れました。当時、負の数自体にあまり信頼感がもたれていなかったのです。ヨーロッパでは当初、負の数は「ないものよりも少ない数」とか、「不条理数」と呼ばれていました。図示などの直感的にわかる表現がなされて初めて、数学者たちも負の数を受け入れるようになっていきました。見てわかる形になることが、大きな役割を果たしたのです。

18世期末になり、虚数も図に表示することができないか、それを説明することができないかという試みが盛んに行われました。そしていよいよ、ドイツの数学者、フリードリヒ・ガウスが i を座標の単位とし、横軸の単位を1に、縦軸の単位を i とする複素数平面を描きました。

$a+bi$ のように表せる数を、複素数と呼びます。複素数平面上では、横軸を実軸、縦軸を虚軸とします。この2次元平面の1点1点が、それぞれ複素数を表します。さらに、複素数同士の掛け算も図的に解釈することができます。例えば、1は複素数平面上では、実軸に乗っています。これに i を掛けると、$1×i＝i$ で答えは i。i は虚軸に乗ります。また i を掛けると、-1。次は実軸の左のほうに乗ります。さらに i を掛けると、$-i$。これは虚軸の下側に。もう一度 i を掛けると、点が元の位置に戻ってきます。こんな風に、複素数平面上では虚数を点、虚数同士の計算を平面上の移動として記述することができるのです。

こうして複素数に図的な表現が与えられ、研究が進み、複素数は今や高校数学の最終段階として、学校で習うものとなりました。電磁気学や量子力学などの分野でも扱われ、中でも電磁波などの波を表すためには欠かせない数となっています。工学では、こうした電磁気学や量子力学などの成果を活かして多くのものが作られています。今や私たちは間接的に虚数に支えられて生活しているのです。

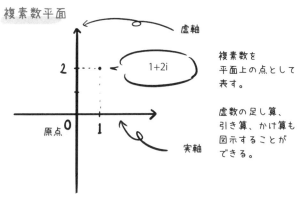

複素数平面

虚軸

複素数を
平面上の点として
表す。

1+2i

虚数の足し算、
引き算、かけ算も
図示することが
できる。

原点 0 1

実軸

図示されたことで、虚数や複素数も人々に受け入れられるように…

掛けて負になる数にも
意味を見出せそうだ

もっと虚数を
研究しよう…!

図2.7.2　虚数を図的に表した! ガウスの複素数平面

世にも不思議な数の世界

　虚数は、ガウスによって図示されることで研究が進み、のちに波などの現象を記述するために大きな役割を果たしました。よく、虚数は存在するのかという問いが見られます。数が存在するかしないのかという問いは、とても難しい問題です。ただ間違いなく、虚数はすでに私たち人類には重要な概念の一つです。

 まとめ

　虚数とは、2回掛けて負の数になる数のこと。ガウスによって図示され、広く受け入れられるようになった。歴史的には認められない時期もあったが、現代の科学技術に欠かせないものとなっている。

数字はどこで始まったのか?

数字の年表

理科の教科書の最後に年表が載っていた。紀元前のギリシャまで遡って書かれている。そういえば、今使っている数って歴史の中ではどこでできたのだろう。今の数字が入ってくる前は、どんな風に計算をしていたのだろうか。

科学に欠かせない要素

　理科や数学の時間に、巻末の年表を見ることを楽しみにしていた読者の方もいらっしゃるかもしれません。年表にはいつ、何が、誰に発見・発明されたのかが記載されています。数字も誰かが作り、受け継がれてきたものの一つです。

　また、数は科学には欠かせない要素となっています。16世紀、イタリアの物理学者、ガリレオが科学の理論を実験によって確かめるスタイルを確立しました。**もし数がなければ、理論が実際の現象に合っているかどうか、実験によって客観的に判断することは難しかったことでしょう。**

　今では1, 2, 3, 4…のようなアラビア数字が主流となっていますが、歴史的にはさまざまな方法で数字が記録されてきました。私たちが今日使っている数字は一体いつ頃、どこからやってきたのでしょうか。ここでは、数がどこでどのように生まれ使われてきたのか、日本にはどのように伝わってきたのかを振り返ってみましょう。

始まりはインド

　現在の0〜9を基本とするアラビア数字の原型は、6世紀頃のインドであると考えられています。

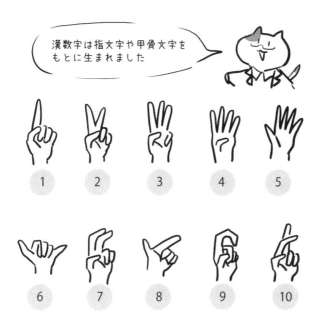

漢数字は指文字や甲骨文字を
もとに生まれました

図2.8.1　体で数字を表す、指文字

\もっと知りたい！/

column

「科学」という言葉はどこから来たの？

日本語の「科学」は、西周（にしあまね）という人が作った造語という説があります。明治時代の西洋の学問知識が「百科の学」と呼ばれたことに由来しています。これは、当時西洋から取り入れられた科学が、細かく専門分化していて、膨大な知識と実用性を備えていたためです。しかし、科学は実用的な知識のパッケージという側面だけでなく、自然現象を観察し、その理解を深めるという哲学的な側面もあります。

　インドの人々はないもの、0という数に気づきました。これによって後々、1の位、10の位などに数字を分けて記すことが可能になりました。

　これらの文字がアラビア半島の国々に伝わり、後に12世紀頃にヨーロッパに輸

入されました。本来はインドに由来する数字なのですが、アラビアから取り入れられたことで、この数字はアラビア数字と呼ばれるようになりました。今の形で表されるようになったのは16世紀頃のことです。

　当時のヨーロッパではローマ数字が使われていました。しかし、ローマ数字は大きな数を表すときにどんどん煩雑になっていくという難点を抱えていました。一方、アラビア数字は簡潔に書くことができたため、ヨーロッパにアラビア数字が浸透しました。当時の文化の玄関口はイタリアです。アラビア数字をヨーロッパに輸入したのは、2.6で登場したイタリアの数学者、フィボナッチでした。

　このアラビア数字が日本に入ってきたのは明治時代、きっかけは計算方法の変化でした。それ以前は漢数字とそろばんで計算が行われていました。明治維新以降、洋算と呼ばれるヨーロッパの計算や数学が導入され始めます。洋算に対応するため、日本はアラビア数字を受け入れることとなりました。

　後に日本初の学校教育に関する法律、学制で洋算を学校で教えることが定められましたが、初期には漢数字で洋算を行う人もいたり一時期そろばんが復活したりしました。現代の私たちにとっては、筆算は小学校で習う計算方法であり、当たり前のものとなっています。**初めに習うものや社会が何に慣れているかによって、受け入れやすいものも変わってくるのですね。**

数は文化の一つ

　数字は今日の日付や、この本のページ数にも使われています。その背景には、人が数を数え、誰かが数字を表し、伝えてきた歴史があります。数えること、数字を使うことは、学校の算数や数学で教わるよりもずっと前から、人が手にしてきた文化なのです。数字やデータばかりでは、人間味がないように感じられたり、あたたかみを感じないことがあるかもしれません。そんなときは、数字は人々が築き、受け継いできたツールであることを思い出してみてください。

1+5を計算してみよう

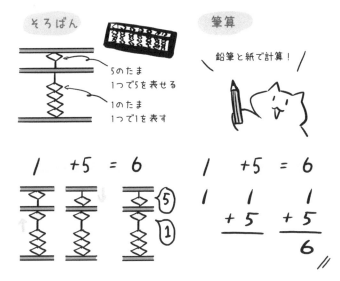

図2.8.2　そろばんと筆算

　日本では幕末まで漢数字とそろばんを使っていたが、明治維新以降、インドの数字をベースとするアラビア数字と筆算を使うようになっていった。
数字は人が生み出してきたツールであり、文化の一つである。

対数は何の役に立つ？

指数と対数

高校数学の教科書を見ていると、目次に二次関数や三角関数など、聞いたことのあるものが並んでいる。その中に指数と対数という項目があった。指数はニュースなどで「指数関数的に増大している」といったフレーズで耳にするけれど、対数ってなんだろうか。生活と関係あるのかな。

何のためのlog？

　高校数学にはさまざまな項目があり、その一つに指数・対数があります。**指数とは、ある数を何乗かした値のこと。**「9は3の2乗である。」といったとき、2が指数にあたります。**対数とは、ある数が別のある数の何乗かを表す数字のこと。**「9は3の2乗である。」といったとき、3を底、9を真数、2を対数と呼びます。

　指数関数は、ある数をどんどん掛けていく形をしています。$y=2^x$ という関数では、x が1のとき1乗、2のとき2乗のように、x の増加に従って2を掛ける回数もどんどん増えます。x が増えると、$y=2x$ のように単純に2を足していくよりも速く数が大きくなっていき、急速に y が増大します。**爆発的に増加する、というイメージです。**こうした y の振る舞いを「指数関数的に増大する」といいます。

　さて、指数関数はニュースなどにも登場しますが、対数の計算は物理や数学、工学を勉強している人でない限り、あまり見ることがないかもしれません。なんだかまどろっこしいところもあり、足し算や引き算のような具体的な恩恵が話題になることもあまりありません。あのとき習った対数とは、結局何だったのか？ 何のために、誰が作ったもので、今どこで使われているのか？ ここでは、その背景と具体的な使用例を紹介します。

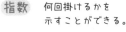

指数　何回掛けるかを示すことができる。

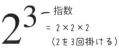

$= 2 \times 2 \times 2$

（2を3回掛ける）

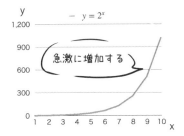

急激に増加する

対数　何回掛けたものかを調べることができる。

$\log_2 8$ — 対数

$= 3$ （8は2の3乗）

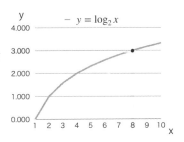

図2.9.1　指数・対数の基礎知識を復習しよう!

\もっと知りたい!/

ネイピアが残したもの

ネイピアはイギリス（スコットランド）に生まれました。神学や占星術を熱心に研究し、占星術の大家でもあったことでも知られています。数学者としては、計算をより単純に、体系的に整理することを目的として研究し、多くの成果を残しました。ネイピアは、三角形の角や辺についての幾何学的な計算を単純にすることを目指していました。ネイピアのように、「計算を整理したい」「数学の体系を作りたい」という目的から数学研究を行う数学者は他にもいます。

ネイピアの目指した数学

　対数を発明したのはイギリス（スコットランド）の数学者、ジョン・ネイピアです。時代は17世紀、天体の観測が盛んに行われ、望遠鏡が発明された時期でした。多くの高校数学の教科書では、指数の次に対数を習う構成になっています。それ

は先に指数を説明し、その後に対数を紹介すると、非常に自然な流れになるためです。しかし、歴史的には対数が先に発見されました。

対数の便利な点は、大きな数同士の掛け算を、足し算に変換できることです。ネイピアが対数を発明した17世紀当時は天文学者のケプラーやガリレオが活躍しました。当時は天体に関わる膨大な桁の掛け算を手計算によって行っていました。大きな数同士の掛け算を手で行うのは非常に大変です。例えば、5桁×5桁の計算結果は9桁や10桁、というように、どんどん桁数が増えていってしまいます。

また、当時の船乗りは星の見える方角を頼りに船の進む方向を決めていたため、天文学者と同様に天体に関わる計算を行う必要がありました。もし計算に間違いがあれば、船は遭難してしまうかもしれません。

そこに対数が登場したことで、大きな数もある数を何乗したものか、という形でシンプルに短く表せるようになりました。例えば、1,000,000,000（10億）はとても大きな数ですが、10を何乗したものかを考えると、$\log_{10} 1{,}000{,}000{,}000 = 9$のように簡単に表せます。計算がとても楽になり、天文学者の寿命は2倍になったといわれています。

>> 今、私たちのそばにある対数

では、対数は私たちの生活の中ではどんなところで使われているのでしょうか。その最も有名な例が、地震の規模を表す数字、マグニチュードです。国際的に広く使われている表面波マグニチュードは、地震のエネルギーをE、表面波マグニチュードをMとして、次のように表せることがわかっています。

$$\log_{10} E = 4.8 + 1.5 M$$

地震のエネルギーEは膨大なため、それが10の何乗くらいなのかを計算によって導きます。これが左辺です。右辺を合わせると、この式は地震のエネルギーEは10の$4.8 + 1.5 M$乗だと主張しています。Eが1,000,000,000くらいなら、左辺は9です。$9 = 4.8 + 1.5 M$という式をMについて解くと、$M = 2.8$。表面波マ

地震のエネルギーはとても大きい。
6桁〜10桁くらいの数で
表されてしまう。

そこで…

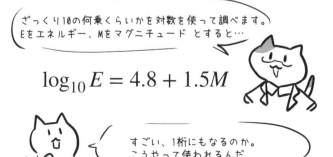

ざっくり10の何乗くらいかを対数を使って調べます。
Eをエネルギー、Mをマグニチュード とすると…

$$\log_{10} E = 4.8 + 1.5M$$

すごい、1桁にもなるのか。
こうやって使われるんだ

図2.9.2　マグニチュードの定義に使われている対数

グニチュードは2.8と算出できます。

　このように大きな数を短縮して表し、計算を楽にすることができる点が対数の強みです。科学では、現象を数字に置き換えて、計算を用いてそれらの関係を探ることが多くあります。計算が簡単になったり、高速でできるようになったりすることで分野そのものが発展していくこともあります。

　対数は天文学の計算をはじめさまざまな分野で活躍してきました。対数を習ったのは、対数が数学に、人類に大きく貢献してきたためだったのです。

数学を便利に使おう

　今回の対数のように、学校で習ったけれどその用途や意義がわからなかった、という経験はしばしば聞かれます。学校で習う数学は、初めからあるものではなく、誰かが作ったものです。どのような意図で作られたのか、どのような点が便利なのかを知ることで、数学に一歩近づくことができます。

対数は計算を単純にするために発明され、桁数の大きな数字を簡単に計算できるという強みがある。その強みは今も活かされ、地震の規模を表すことにも利用されている。

\もっと知りたい！/

絵で計算するそろばんの世界

何かを計算する手段には、いろいろなものがあります。1桁くらいの数なら指で1, 2, 3, …と数えることができ、もう少し大きな数の計算なら、筆算が役立つことでしょう。

指は体の運動や感覚、筆算は文字と図形で計算する方法です。

渋沢栄一の著書、『論語と算盤』で知られるそろばんでは、絵で計算をします。そろばんには1を表す珠、5を表す珠が並んでおり、これを指で動かして足し算、引き算、掛け算、割り算、そして平方根を求める計算などを行います。

そろばんを学んだ人の頭の中には、そろばんの絵が記憶されていて、この絵をそろばんの代わりに動かすことで暗算をすることもできます。

一度学ぶと、筆算よりも手軽に思えるほどです。興味のある方は、ぜひやってみてください。

第3章

社会と科学

ここでは科学と社会の
接点や、社会を扱う科学に
ついてご紹介しますよ

おおっ難しそう。
大丈夫かな？

大丈夫です！
研究への見方が
少し変わるかも

感染症の数理モデル？

あの数理モデル

2020年は新型コロナウイルス感染症流行が拡大した。流行を抑えるため、外出の自粛などの制限もあってかなり厳しい1年だった。自粛の呼びかけや要請がなかったら、もっとひどいことになっていたかもしれない。その根拠には「数理モデル」も使われていた。あの時に使われていた数理モデルはどんなものだったのだろう。今なら勉強してみたい。

科学の対象は自然現象だけ？

　科学の研究というと、宇宙や恐竜についての研究をイメージするかもしれません。自然現象だけではなく、社会現象を対象にした研究もあり、私たちの生活を支えています。2020年には、当時北海道大学の西浦博教授が数理モデルを活用し、新型コロナウイルス感染症流行の予測を行いました。この時にベースとして使われた数理モデルの一つが、SIRモデルという感染症流行のモデルです。

　SIRモデルは1927年に考案された数理モデルです。SIRによって得られた予測は、1906年にインドで起きたペスト流行のデータを見事に再現しました。今も感染症流行という社会現象を記述する優れたモデルとして活用されています。

　SIRモデルは、感染症流行のどのような特徴を再現することができるのでしょうか。ここでは感染症対策を支えてくれる力強い味方、SIRモデルをご紹介します。

感染症を科学する

　SIRモデルが発表されたのは、1927年のことです。発表者は、イギリスの生化学者、ケルマックと医師のマッケンドリックという人でした。

　S、I、Rの3文字はそれぞれ人の状態を表し、Sはまだ感染していない人の数

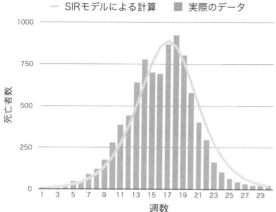

【参考】Kermack William Ogilvy and McKendrick A. G. 1927A contribution to the mathematical theory of epidemics Proc. R. Soc. Lond. A115700–721

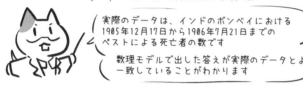

実際のデータは、インドのボンベイにおける1905年12月17日から1906年7月21日までのペストによる死亡者の数です

数理モデルで出した答えが実際のデータとよく一致していることがわかります

図3.1.1 インドのペスト流行のデータと比較すると……

もっと知りたい！

広く役立てられるまで

SIRモデルは1927年に考案されましたが、その後数十年間はあくまでモデルとして、数学や数理生物学という分野で研究が進みました。1980年代になり、世界的にエイズが流行すると、エイズ流行の予測や治療の評価に用いられ、急速に研究が進展します。2019年には、SIRモデルはリアルタイムな感染症流行の分析、実際の政策への反映にも用いられました。ここまで実に90年あまり。やはり、研究は「すぐに役立てばよい」というものではないようです。

（Susceptible）、Iは感染している人の数（Infected）、Rは隔離された・死亡した、または回復して免疫を獲得した人の数（Removed、Recovered）を表します。

SIRモデルでは、感染症が新型で、あらかじめ免疫を持つ人がいない状態を想定します。また実際の都市では、出生や死亡、移動によって人口に動きがありますが、SIRモデルでは人口の変化が無視できるくらい急速に、短期間のうちに流行が広がる状況を考えます。

　SIRモデルでは、人から人へ感染する様子が数学的に表されます。まだ感染していない人（S）は、ある確率で感染症にかかります（I）。感染している人（I）は、ある確率で死亡してしまうか、都市の外に隔離されるか、感染から回復します（R）。時間が経過するごとに、各人の状態がSからI、IからRへとある確率で更新されるとし、方程式を立てます。**この方程式から、感染症流行が時間によってどのように変化していくのかを予測することができます。**

>> SIRモデルが解き明かす感染症流行

　感染症流行の初期に、流行が拡大する条件を導いた結果、1人の感染者が引き起こす平均の感染者数が鍵となることがわかりました。これを基本再生産数といいます。基本再生産数が1より大きいとき、感染症流行が拡大します。基本再生産数は感染力、都市の人口に比例し、感染した状態から死亡・隔離・回復の状態になる確率に反比例します。つまり、**感染力が強いほど、都市の人口が多いほど、そして感染の状態が長引くほど、1人の感染者が引き起こす二次感染も増えると**わかりました。

　また、感染症流行が発生した後、感染がどのように広がるのかを予測することもできます。実際にSIRモデルによる方程式を計算すると、感染者の数（S）の時間による変化を表す曲線が得られました。**この曲線によって、感染流行は一度ピークを迎え、時間が経過すると自然に収束していくことが予測できました。**

　1906年にインドで発生したペスト流行では、調査や実験が行われ、調査書が作成されました。そして、当時記録された週ごとの感染者数のデータと、計算によって得られた曲線を比較すると、確かに両者がよく一致することがわかりました。SIRモデルは、実際の現象にしっかりと適用できたのです。

　このように、**自然現象だけでなく、社会現象も数によって表し、数学や数理モデルを用いて扱うことができます。**感染症流行という社会現象を感染者数によって表すSIRモデルも、その一つです。

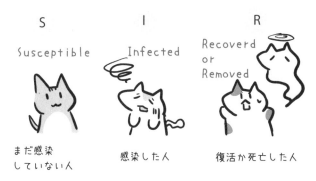

人の出入りが無視できるくらい小さい状況を考える

図3.1.2　SIRモデルでは新型感染症が急速に流行することを考える

 ## 科学による知見を政策へ

　新型コロナウイルス感染症の流行では、SIRモデルをはじめとした感染症モデルが、感染拡大の時間経過を調べるため、世界的に広く利用されました。日本では2020年、西浦教授が基本再生産数を見積もり、SIRモデルを基礎とした計算によって、人と人との接触を8割減らすことを提言しました。数理モデルによって得られた予測や分析は、少しずつ政策にも反映されています。

　自然現象だけでなく、社会現象を扱う科学もある。SIRモデルはその一つであり、ある理想的な状況における感染症流行を予測できるため、政策決定にも役立てられている。

科学の研究に参加できる？

3.2 社会

自分が研究をする日

研究者というと、どうも遠い存在に感じる。振り返って、自分が取り組んできた「研究」といえば、自由研究が思い浮かぶ。
学校の課題ではなくて、本当に研究をできる機会はあるのだろうか。もしあるなら、やってみたい。

市民参加型の研究活動

　世界で研究を行っているのは研究者と学生だけではありません。研究を仕事にしていなくても、研究に取り組んでいる人がいます。これをシチズンサイエンスといいます。一般の市民が科学者や研究機関と共同で行う科学的活動として、各国で広がりを見せてきました。

　日本では特に天文学や鳥類学の研究で、市民が活躍してきました。アマチュアの観測家が鳥の生態を観察したり、新星の発見を行ったりすることで、研究に貢献しています。

　こうした観測成果などのデータを市民と科学者が共有するツールとして、2009年にはシチズンサイエンスのためのデータベース「SciStarter」が開設されました。SciStarterの登録プロジェクト数は増加傾向にあり、2019年9月には1688件のプロジェクトが登録されています。また、シチズンサイエンスによる研究論文の出版数も増加していて、2015年には1000以上の論文が出版されています。

　もはや科学研究は研究者の世界だけに閉じられたものではなく、一般市民にも開かれています。ここでは、国内で実践されているシチズンサイエンスの事例をご紹介します。

協力！

研究機関　　　　　　　　一般市民

研究への関わり方は、
プロジェクトや参加者によってさまざま

データを集める

データを分析する

問いを立てる

図3.2.1　シチズンサイエンスとは、市民が参加するサイエンスのことである

\もっと知りたい！/

column

広がるクラウドファンディングの輪

近年、市民と関わり、研究への寄付を募る場として、クラウドファンディングを活用する研究者が現れています。クラウドファンディングでは、主催者がプロジェクトの概要をネット上で公開し、賛同者から寄付を集めます。寄付金額が目標に達すると、実際にその寄付金を活用してプロジェクトが行われます。寄付をした人には主催者からリターンが贈られます。
窓口となるウェブサイトもREADYFOR Collegeやacademistなど、幾つか登場しています。

クルーズ船員となって銀河を探求

　2019年に開始された国立天文台主催のシチズンサイエンスをご紹介します。その名もGALAXY CRUISE（ギャラクシークルーズ）です。このプロジェクトでは、

銀河の誕生や成長に関わる研究に参加することができます。

　銀河とは、星やガスなどの集合体のことです。例えば、私たちの住む地球は天の川銀河という銀河に属しています。**GALAXY CRUISEでは、望遠鏡で撮影された銀河を、渦巻銀河か楕円銀河か、そのどちらでもないかに分類します。**

　なぜ銀河を分類するのでしょうか。それには、銀河の形成過程を調べる研究が関係しています。銀河は一つひとつ独立にできてきたわけではなく、時には衝突したり合体したりしながら成長してきたとされています。しかし、衝突や合体が具体的に銀河の形成にどのような影響を与えたのかは、明らかになっていません。

　銀河の衝突や合体を見るためには、非常に高性能な望遠鏡が必要です。このプロジェクトで使用されるのは、ハワイ島のマウナケア山頂にあるすばる望遠鏡です。すばる望遠鏡はHyper Suprime-Camという世界最高性能のカメラをもっていて、8億7000万画素（一般的なカメラの約40倍）のスナップショットを撮影することができます。科学研究で活躍している大型の望遠鏡です。

　これほどの写真を撮ることができても、まだ問題があります。それは、銀河が数え切れないほどあることです。2016年には、銀河はなんと2兆個あると予測されています。その中から衝突や合体を起こしている銀河、特殊な形をしている銀河を見つけ出すのは大変です。

　そこで、シチズンサイエンスへの参加者が活躍します。銀河を分類し、膨大な写真から特殊な銀河を探し出します。つまり、銀河を分類する理由は、銀河の衝突や合体が銀河形成に与えた影響を、膨大な数の写真から読み取りたいからなのです。GALAXY CRUISEの船長は研究者。分類の結果は統計的な解析に利用され、実際に銀河の研究に役立てられます。

　シチズンサイエンスにはこうしたデータの分析を行うものの他にも、データを収集するものや、もっと踏み込んで、研究者と一緒に問題を定義するものまで、さまざまなレベルのものがあります。シチズンサイエンスは自分にできることで科学や未来の社会に貢献できる取り組みでもあるのです。

すばる望遠鏡が
撮影した銀河を…

分類!

すばる望遠鏡は、世界最高レベルの
性能をもつ望遠鏡!

貴重なデータにふれられる
醍醐味がありますね

図3.2.2 GALAXY CRUISEでは、船員として研究に参加する

 ## シチズンサイエンスと社会

　近年、国内外で市民が科学に参加する潮流は大きくなっています。科学は社会の中にあり、社会の中で育つもの。シチズンサイエンスでは社会の一員として科学に直接関わることができます。あなたもぜひ参加してみてくださいね!

 まとめ

　一般の市民が科学者や研究機関と共に行う科学的な活動を、シチズンサイエンスという。GALAXY CRUISEをはじめとして、国内外で広く実践されている。

研究不正はなぜ起こる?

社会
3.3

厳しい批判がまっているのに

研究不正についてのニュースを見た。研究成果を捏造した研究者が、マスメディアからも同業者からも厳しく批判されていた。
もう研究の世界には戻れないほどの罪なのにやってしまう、ということは、何か不正を引き起こす原因があるのだろうか。

成果と倫理

　研究者としての成果を求められるあまり、禁忌を犯してしまうキャラクターがマンガ『鋼の錬金術師』に登場します。彼は国家錬金術師としての資格を奪われないよう、誰にも言わず、人の命を研究に利用してしまうのです……。

　現代の科学界にも研究不正という禁忌があります。捏造 (fabrication)、改ざん (falsification)、盗作 (plagiarism) の頭文字からアメリカではFFP、日本では同じく頭文字を取ってネカトと呼ばれています。

　研究不正は科学への信頼を損なうものであり、本人のキャリアにも科学界にも大きなダメージを与えます。それにもかかわらず、研究不正が起きています。その背景には、短期間で成果を求められるという研究を取り巻く状況があります。

　今回は国外で起きた大規模な研究不正事件をご紹介します。未曾有の大事件の背景にはどんな状況があったのでしょうか。

見覚えのあるグラフ

　この事件は2000年頃、アメリカの名門研究所、ベル研究所で起きました。ベル研究所は重要な電子部品、トランジスタを発明したことや、多数のノーベル賞受賞者を輩出したことで有名でした。そこで次々と業績を上げ、天才とまで呼ば

捏造（ネツゾウ）	改ざん（カイ）	盗用（トウヨウ）
本当は存在しない ものをでっち上げて しまうこと	本来のデータや 数値を書き換えて しまうこと	自分以外の人の 意見を自分の ものとすること

3つ合わせて「ネカト」

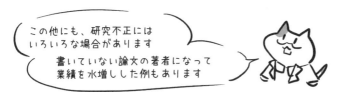

この他にも、研究不正には
いろいろな場合があります

書いていない論文の著者になって
業績を水増しした例もあります

図3.3.1　主な研究不正の種類は三つある

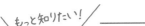

論文掲載の審判、レフェリー

論文が雑誌に掲載される際、論文の内容について確認や検証をする人をレフェリーといいます。レフェリーは論文出版社から指名され、匿名で査読を行います。査読とは、論文の内容を検証し、新しさはあるか、不備がないかなどをチェックすることです。答えのない問いに挑む研究の世界で、論文の価値を保証するための大切なプロセスの一つです。

れたのがドイツ出身の研究員、Sでした。

　当時S研究員が取り組んでいたのは超伝導という現象の研究です。超伝導とは、物体の電気抵抗がある温度でゼロになる現象です。もし超伝導を室温に近い温度で起こすことができれば、通信技術を発展させる可能性があり、研究に大きな期待が寄せられていました。超伝導については、第5章で詳しく扱っています。

2001年、S研究員は過去の記録を大幅に上回る高温で超伝導を実現したと報告します。この結果はアメリカの有名科学雑誌、サイエンス誌に掲載され、若手研究者の大発見に世界中から注目が集まりました。

　科学の研究では、誰もが実験の結果を再現できることがとても重要です。S研究員の成果を再現しようと、多くの研究者が実験の追試を行いました。しかし、誰もS研究員の結果を再現することができません。

　そんな中、ある助教授のもとにベル研究所の研究者から「S研究員の二つの論文をよく見て」と電話が入ります。助教授が論文を見直すと、二つの論文で別のものとして使われていたデータは、実は同じものでした。**最終的には、調査委員会によって16の論文でデータを捏造していたことが明らかになり、S研究員は研究所を解雇されました。**

　なぜこの事件は起きたのでしょうか。S研究員は実験の際、実験の詳細をノートに記録せず、実験で得られた元データやサンプルも処分してしまっていました。また「見栄えがするから」という理由で、データを切り貼りしていました。これらはS研究員の行動の問題です。

　さらに広い問題として、S研究員が研究不正を引き起こした背景を、NHKの番組ディレクターとしてこの事件を取材した村松秀氏は、強い成果主義であると推察しています。当時、経営状況が厳しく、ベル研究所はスターとなる研究者を必要としていました。論文雑誌もS研究員の論文を掲載することが成果につながるため、他の出版社と競争になり、内容の確認が甘くなっていました。

　もし研究所が経営のために研究成果を急ぐことなく、十分に成果について検討できていれば、そして出版社が内容のチェックに十分な時間と仕組みをもっていたら……。**成果ばかりを急ぐことがなければ、事件は起こらなかったかもしれません。**

　研究不正は研究者自身の問題だけでなく、研究に関わるコミュニティ、社会全体の問題でもあるのです。

多忙な現代の研究者

　現代の研究者は研究資金を獲得するための営業や書類の作成など、研究以外にも多くの業務を抱えています。しかもその待遇は不安定なことも多く、短期間

図3.3.2　S研究員を取り囲んでいた環境に注目してみる

で成果を出さなければなりません。成果を出すことを目指すこと自体は悪いことではありません。しかしあまりに行き過ぎると、研究の倫理を大切にすることが難しくなります。科学研究は、計画を立てれば全くその通りに進行するようなものではなく、情報収集と試行錯誤の繰り返しです。研究者だけではなく、科学界、そして科学の恩恵を受ける社会のためにも、研究者が成果に迫られ過ぎることのない仕組みが必要です。

　捏造などの研究不正の背景には、研究者自身の意識不足だけでなく、科学に対する強い成果主義が関係している。不正がなるべく起こらないようにする仕組みがもっと必要である。

第3章　社会と科学

教科書はどのようにできる？

社会 3.4

なぜあれを学んだのだろう

学校では、どの科目でも教科書が配られていた。当時はただただ教科書は問いや正解を与えるものと思って勉強していた。今思えば、教科書も誰かが作っているはずだ。教科書に載っていることだけが全てでもないし、研究の世界で新しい発見もあるだろう。
どのような基準で載せる内容を決めているのだろうか。

社会の知識のベース

　小学校から高校まで、教科書にお世話になったことのある読者の方は多いことでしょう。ほとんどの学校では、教科書が無償で提供され、授業で活用されています。

　教科書は古来から、朝廷や寺子屋で使われてきました。1872年に、学制令という法令が定められ、初等教育を行き渡らせようと学校制度が作られました。当時の教科書は自由に発行でき、教師も自由に教科書を選ぶことができました。

　その後、1880年頃から、小学校の教科書を使用する際には文部省の認可が必要になります。1886年には学校令という法律が施行され、教育上弊害がないかを確認するため、文部省による検定制度が始まりました。

　現代の教科書も検定制度にのっとって作られています。ここでは、どのように教科書が作られ、学ぶ人の手に届くのかをご紹介します。併せて、教科書と社会、科学の関係を考えます。

教科書の作り方

　学校教育では欠かせない存在となっている教科書。そのベースとなるのは、学

教科書ができるまで

学習指導要領　執筆・編集　検定　出版

教科書にも作り手の人がいるもんね

そうですね！教科書には次の世代に伝えたいことが詰まっています

図3.4.1　教科書も人が作っているのだ

＼もっと知りたい！／

教科書はなぜ無償なのか

義務教育を行う国立、公立、私立の学校では、教科書を無償で使うことができます。これは1962年に提案された教科書無償給与制度という制度によるものです。学ぶ上で教科書が重要であること、教科書を使用する義務が法律で定められていることから制定されました。日本に限らず、世界20カ国で採用されている制度です。しかし、国の財政状況が厳しくなったことでこの制度についてもさまざまな意見があります。

習指導要領です。

　学習指導要領とは、学校教育のカリキュラムでどのような内容を指導するかを示す基準です。文部科学省により約10年ごとに定められます。幼稚園から高校まで、各教科や活動ごとに、指導する内容と指導の要点を示したもので、教師の

多くは、学習指導要領を参考に授業を組み立てています。

　それでは、学習指導要領はどんなことを重点としているのでしょうか。学習指導要領はほぼ10年ごとに社会の様子に即して改訂が行われています。**つまり、教科書は学ぶ人がいわゆる「社会に出る」ための知識を身に付けられるようにすることを大切にしているのです。**

　この学習指導要領を基に、教科書の案を作るのが民間の出版社や文部科学省です。教科書の著作と編集を行います。著作には学校教員や大学教授が参加します。国語や算数、理科など多くの人が学ぶ教科書は民間の出版社、高等学校の農業や工業、水産や特別支援学校用の教科書など、印刷する数が比較的少ないものは文部科学省が担当します。

　こうして各出版元によって作られた教科書は、文部科学省から検定を受けます。検定意見を反映し、検定を通過した教科書が、印刷され、各学校で使われるようになります。教科書が書かれてから学生の手に届くまでの期間は、4年ほどです。

　さて、教科書と社会の関係を考えてみると、2020年の学習指導要領は学んだことを人生に活かすこと、実生活に役立つ知識やスキルを身につけることを重要視しています。学校で学んだ人が将来働いたり活動したりしながら生きることを想定して、社会にいる人の多くが持っている知識を身に付けられるように設定されています。

　しかし、学習指導要領や教科書は、人類の全ての知識をカバーしているわけではありません。これまで行われてきた研究開発は教科書に載っているものだけでなく、もっとずっとたくさんあります。教科書はあくまで、学ぶ人の知識の下地であり、教科書を基に学んだ人がその後、教科書には載っていない問題を研究し、その内容がまた教科書に反映されていきます。**教科書の内容は、これまでの人類の知の歴史から粋を集め、次の世代に引き継ぐものなのです。**

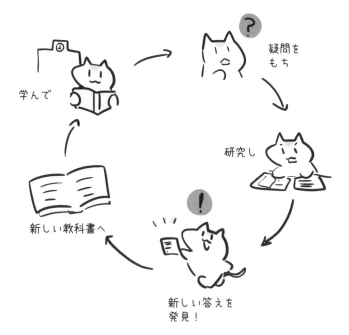

学んで

疑問を
もち

研究し

新しい教科書へ

新しい答えを
発見！

図3.4.2　教科書で学んだ誰かが、教科書を新しくしていく

生きることと学ぶこと

　学ぶことは、文化的な豊かさをもたらします。新型コロナウイルス感染症流行では、音楽やアートが生活に潤いを与えていたことが浮き彫りになりました。また、家にいる時間が長くなり、読書をする人も増えています。 歴史や技術、言語、科学について知っていることは、その人がただ興味のままに学んだり楽しんだりする基礎となり、生きていく時間をより充実したものにしてくれることでしょう。

まとめ

　教科書は学習指導要領をベースに、各出版社によって著作・編集され、検定を経て無償で学習者の手に届く。教科書は社会で仕事をするだけでなく、ただその人が生きる豊かさを得るための基礎にもなる。

科学を支える人がいる?

家族のこと?

研究成果を発表する記者会見を見ていたら、研究者が「この成果は自分だけのものではなく、これを支えてくれた人たちによるものです」と話していた。研究室の人たちや家族のことだろうか。いや、記者会見をセットしている広報担当もそうかもしれない。もしかして、もっといるのか!

 科学は研究だけでできるもの?

　現在、日本で科学研究を行っているのは主に大学や研究機関に所属する研究者や学生です。さまざまな分野で、まだ答えのない問いに取り組み、計算や実験、調査を積み重ねています。

　こうした研究活動は、研究者や学生だけで成立しているわけではありません。実験に必要な技術をもつ技術補佐員、研究資金の獲得支援など研究のマネジメントを行うURA、研究成果などをメディアや社会全体に伝える広報担当、イラストレーションによって効果的に成果を伝えるサイエンスイラストレーター、論文を雑誌に掲載して出版する出版社など、研究に携わる人の職種や業種は多岐にわたります。

　真理を追求し、新たな知見を生み出す研究の世界。ここでは、そんな研究を支える5つの職種をご紹介します。

 どれも欠かせない

　最初に、技術補佐員について説明します。**技術補佐員は、研究者の考えた実験を遂行したり、実験室の管理や運営を担当したりします。**主に大規模な実験系研究室で採用されています。

URA

研究者

技術補佐員

広報担当

出版社

サイエンスイラストレーター

図3.5.1　研究者を支える人たちはたくさんいる

\ もっと知りたい！ /

Column

宝の山、大学図書館

筆者が研究を学びつつ行う上で頼りにしていたのが、大学図書館です。辞書や実用的なテキスト、研究分野に大きな影響を与えた名著があり、宝の山でした。蔵書を検索して、求めていた本があったときの喜びと安堵たるや！特に専門書は、読む人も限られるため書店には置いていないことも多く、買い揃えるには高価なのです。大学図書館も、研究を支えてくれるものの一つです。

　テクニシャン、実験補助員とも呼ばれ、実験を遂行するための重要な技術を身に付けています。作業内容は研究室の分野によってさまざまですが、生命科学系の場合は実験用マウスの飼育や細胞の培養、試料の作成を行うものもあります。

技術補佐員の技術は実験の要であり、職人の技です。これを機械学習によって
ロボットに継承させようと研究開発が進められています。こちらについては第5章
でふれています。

　次に紹介するURAは、University Research Administratorの頭文字で
す。Administratorとは、管理者という意味です。**URAは各機関と連携し、政
策や研究者の資金獲得状況を分析して研究をマネジメントします。**

　URAも広報を担当することがありますが、より専門的に担当するのが本部や部
局の広報担当です。研究成果をメディア向けに発表するプレスリリースや記者会
見への対応、ウェブサイトの整備などを行います。**広報担当は、一般市民やメディ
アと研究機関をつなぐ窓口です。**

　また近年、研究広報で活躍しているのがサイエンスイラストレーターです。**サイ
エンスイラストレーターは、研究の内容をわかりやすい図や絵にし、効果的に研究
について伝えます。** 制作会社に勤めている人、フリーランスで活動する人、学内
のポストについて制作を行う人などさまざまな形態があります。

　そして、**研究成果を論文として出版するのが論文雑誌の出版社です。** 国外では
ElsevierやSpringer Nature、Wileyなどが有名です。研究者から論文を受
け付け、雑誌によっては査読し、出版します。publish or perish（論文か死か）
という言葉もあり、論文出版は研究者にとって大切な業績です。

　全体を見てみると、URAが研究のマネジメントを行い、研究者が発想した実験
をテクニシャンが実行し、そこで生まれた研究成果をサイエンスイラストレーター
が図や絵で表現し、論文と合わせて出版社が掲載し、広報担当が論文について広
くメディアにリリースする……といったように、さまざまな業種・職種が研究者を
中心に関わりながら、研究成果を創出していることがわかります。

　研究を支える仕事はここに挙げたものだけではありません。研究者の秘書や文
部科学省の担当者、科学界に切り込むジャーナリストや科学について伝える架け
橋となるサイエンスコミュニケーター、博物館の学芸員などが存在します。

　**研究は社会と独立して存在しているわけではなく、科学界の生態系ともいえる
ような多業種の中で成立しています。**

学者といえば浮世離れ
しているイメージも
あるけれど…

さまざまな人と関わって
成果を生んでいる

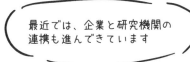

最近では、企業と研究機関の
連携も進んできています

図3.5.2　研究者も職業の一つなのだ

 ## 科学だけでは存在できない

　科学と社会はつながっている、とよくいわれますが、具体的にはどこでつながっているのでしょうか。工業製品や医療技術など、生活に身近なところから一歩踏み出して、もう少し研究者に近づいて観察すると、科学の世界と社会は経済の生態系の中でつながっているとわかります。研究には予算が必要であり、それで身を立てている人がいる以上、研究は経済活動の一部でもあるのです。

 まとめ

　科学は経済活動であり、研究者だけでなく、技術補佐員、URA、広報担当、サイエンスイラストレーター、出版社など、さまざまな業種・職種の
人が関わり合って成立している。

科学に答えられない問題?

最後は人が決めること

『美しい距離』という小説を読んだ。病気になった妻を支える夫の話だ。医学によって、延命治療という治療の選択肢を出すことはできる。それでも延命治療をするかどうかという問題は、患者やその家族に委ねられている。医学だけでは答えられない問題なのだ。

 科学は万能ではない

現代では、医学や科学技術の発達によって延命治療という治療の選択肢があります。科学的に患者に延命治療を施すことができたとしても、実際にそれを選ぶかどうかは医学や科学には決めることができません。医学や科学にも限界があるのです。こうした「科学に問うことができても、科学に答えることはできない問題」のことをトランス・サイエンス問題と呼びます。

トランス・サイエンス問題は、1970年代に考案された枠組みです。それまでは、純粋に真理を追求する科学は科学者が行うもので、政治などの社会の活動や一人ひとりの人生とは別々に捉えられてきました。科学技術が発達し社会に浸透した現代では、科学と社会は密接に関わり合っています。

ここでは、トランス・サイエンス問題とはどんなものか、考案された当時の具体例を基にご紹介します。

 人と科学の問題

トランス・サイエンス問題という言葉を提案したのは、アメリカの原子力工学の専門家、アルヴィン・ワインバーグです。

1972年に文系の総合雑誌であるMinerva誌に掲載された "Science and

アルヴィン・ワインバーグ
（1915〜2006）

アメリカの物理学者。
イリノイ州、シカゴ市生まれ。
専門は原子力工学、核物理学。

シカゴ大学に在学中、
世界初の原子炉を作る研究に
携わった。

ロケットの開発など、
国家も関わるような大規模な研究を
「Big Science」（巨大科学）と
名付けたことでも有名です

科学者でありつつ、
科学を俯瞰していたんだね

図3.6.1 アルヴィン・ワインバーグはこんな人

＼ もっと知りたい！ ／

対話の難しさ

トランス・サイエンス問題を巡り、科学者と一般の人が対話することを考え
てみましょう。典型的な科学者はあくまで真実を追求します。リスクがあっ
たり不確実だったりといった人間にとって都合の悪いことであっても、筋の
通ることを信じます。一方で、こうした考え方をすんなり受け入れられる人
は、あまり多くないかもしれません。多くの一般の人は、ネガティブなこと
はできるだけ避けたいと思うことでしょう。自分の命を守りたいという人な
ら当然のことです。

考え方の異なる人同士の対話は簡単ではありませんが、実現できたならば、
両者にとって大きな一歩になります。

Trans-Science" という論文で、トランス・サイエンス問題を提案しました。トランスには超えるという意味があり、**トランス・サイエンスはいわば「科学の領域を超える問題」**のことです。

ワインバーグはトランス・サイエンス問題の例として、原子力発電所の安全装置の問題を挙げています。原子力発電所には、事故に備えて安全装置が備えられています。全ての安全装置のパーツが同時に故障する可能性について考えてみましょう。もしそんなことが起これば、人の命や生活にも関わる大事故です。

同時故障が発生する確率がとても小さくなることについては、専門家同士でも合意できます。実際には原子炉1台、1年あたり$1/10^7$（1/10000000）くらいと算出できます。しかし実際にそんなことが発生するのかという問題に対しては、専門家の意見が分かれます。

確率が$1/10^7$ということは、1000台の原子炉を1万年運転して1回同時故障が起こるということです。ほとんど起きそうにありませんが、想定外の原因によって同時故障が起こる場合もあり得ます。結局、故障する可能性を問うことはできても、実際に専門家同士で合意できる答えを出すことができない、つまり科学的に答えることができません。これはトランス・サイエンス問題なのです。

しかし、科学で明確な答えを出すことができなくても、政治や人生では何らかの答えを出さなければなりません。こうした不確定要素が入り込む問題を専門家でない人が扱う場合、$1/10^7$という確率が重大なものと捉えられ、実際よりも大げさに伝わってしまうことがあります。

ならば専門家が答えを出せばいいかというと、そういうことにもなりません。原子力発電所の近くに住む人や発電所の運転に関わる政治家は、この問題の当事者です。もし専門家側で答えが一つに決まるなら、あとは当事者との対話が課題になるでしょう。**トランス・サイエンス問題の難しさの一つは、専門家でも断言できない問題を、専門家でない人も一緒に考え、答えを出すことにあります。**

専門家と一般の人との対話を行うかどうかには、国によって差がありました。アメリカの原子力発電所は、一般の人の意見を尊重して何重にも安全装置を用意しました。一方で旧ソビエト社会主義共和国連邦では、一般の人が原子力発電所の技術について知り、意見する権利が認められませんでした。結果、重大な事故を防ぐことができない程度の安全装置しか利用されない時期がありました。

図3.6.2　トランス・サイエンス問題は科学と社会の間にある

　現代の日本では多くの場合、トランス・サイエンス問題は価値についての判断が必要になるため、科学だけでは答えられない問題とされています。例えば新型コロナウイルス感染症の流行でいえば、PCR検査をどの程度行うか、経済の抑制をどの程度行うかといった問題が挙げられます。専門家の知見を活用し、かつ生活や命を守るためにどのように対応していくか、一般市民と科学の関係性が問われています。

科学とどう付き合うか

　現代の生活には科学技術が深く広く浸透してるため、科学技術が進展することで、生活も変わります。その変化が生活や生き方に影響を与える場合、あなたならどのように関係していきますか。近年、トランス・サイエンス問題に対し、一般の人と専門家が接する機会として、対話型のイベントが多く開催されています。

その中には、実際に政策を策定する際に参加者からの意見が反映されるものもあります。もし興味をもったときには、そうしたイベントへの参加も有意義かもしれません。

科学に問うことはできるが、科学に答えることのできない問題をトランス・サイエンス問題という。新型コロナウイルスの感染流行も発生している。専門家だけなく、広く社会全体で考え、答えを探っていくことが大切である。

column

\ もっと知りたい！ /

科学技術は発展しないほうがいい？

日々成長を遂げる科学技術。スマートフォンやこの本をはじめ、現代の生活は科学技術なしには成り立たないことでしょう。

一方で、発展を続ける科学技術に疑問を感じる、という話を聞くことがあります。もうこれ以上発展してどうするのか、これくらいでやめて慎ましく暮らしていくほうがいい……。そうした思いは、科学技術が暮らしを変えていくスピードの速さに戸惑ったり、変わってしまった暮らしにどう対応していけばいいのか、日々迫られる選択に疲れてしまったりすることから起こるのかもしれません。

便利になることで救われる人もいれば、変化についていくことが大変になる人もいます。どうしたら変化を和らげることができるのか、多くの人が望んだ生活を実現できるのか考えるのも、科学技術の役目の一つとなることでしょう。

第4章

健康と科学

ここでは、医療や
頭脳のはたらきに
注目します

健康は気になる
ところだなあ

体を調べるだけ
じゃないのかな？
なんだろう

ワクチンってどんなもの？

闘う人類

新型コロナウイルスの流行が始まってから、世界各地で新型コロナウイルスへの対策が練られている。研究がどんどん進んで、今はワクチンが登場した。インフルエンザや小さい頃のワクチン接種で慣れていたが、いざ新型コロナワクチンを前にするとどんなものなのか気になる。
ワクチン自体はいつ頃開発されたものなのだろうか。

感染症を防止する

2019年に流行し始めた、新型コロナウイルス感染症。本書を執筆している2021年もその勢いはすさまじく、多くの人の生活に影響を及ぼしています。いまだ特効薬はなく、対応策として感染を防ぐワクチンが注目されています。

新型コロナウイルス流行前も、インフルエンザやその他の感染症への対策として、ワクチンの接種が広く行われてきました。そもそも、ワクチンとはどのようなものなのでしょうか。

ここでは世界初のワクチンに関する論文に掲載された、天然痘ワクチンの開発とそのメカニズム、広がりについてご紹介します。

体の仕組みを利用したシールド

ワクチンとは、弱体化したウイルスや菌などを体に注射することで、それらに対する免疫を獲得する方法です。ワクチンという名前ができる前から、中国や中央アジアで使われていました。

人類史上初めてのワクチンについての論文は、1798年に発表されました。著者はイギリスの医師、博物学者のエドワード・ジェンナーです。

体を守るシステム、免疫系

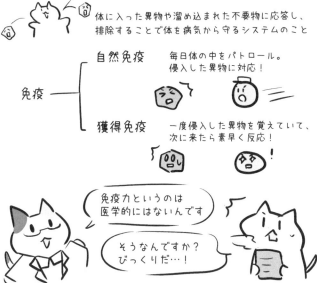

体に入った異物や溜め込まれた不要物に応答し、排除することで体を病気から守るシステムのこと

自然免疫 　毎日体の中をパトロール。侵入した異物に対応！

免疫

獲得免疫 　一度侵入した異物を覚えていて、次に来たら素早く反応！

免疫力というのは医学的にはないんです

そうなんですか？びっくりだ…！

図4.1.1　免疫は二つのやり方でウイルスや菌などの異物をやっつける

column

もっと知りたい！

日本の感染症研究者紹介　北里柴三郎

人類は感染症にたびたび苦しめられてきました。その一つに、破傷風があります。傷口から菌が侵入し、全身がこわばったり痙攣したりする病気です。当時の衛生環境の悪さもあり、多くの人の命を奪いました。

そんな破傷風に対する療法を確立した人物が北里柴三郎です。北里は、破傷風の菌だけを取り出して培養することに成功しました。また、破傷風菌が傷口から侵入するにもかかわらず患者の全身に痙攣がみられることに注目し、破傷風菌が毒素を産出していることに気づきました。これを少しずつ動物に与え、毒素に対する抗体をもった動物の血清を他の動物に注射します。すると、注射された動物も破傷風に感染しなくなることを発見しました。

1980年当時にWHOは787,000人の新生児が破傷風で亡くなっていると見積もっています。この療法の確立と衛生環境に関する教育が行われたことで、2010年の見積もりは58,000人にまで減少しています。

ジェンナーが注目したのは、天然痘という感染症です。古くから流行を繰り返し、多くの人が犠牲になりました。天然痘を防ぐために、中央アジアでは乾燥させた天然痘毒を注射していました。しかし天然痘は感染力が強く、一度かかると致死率も高かったため、天然痘毒の注射はリスクが大きい予防法でした。

　ジェンナーは牛の乳搾りをしている人物から、牛痘にかかると天然痘にかからないという話を聞きます。牛痘は弱い天然痘のような病気で、人が罹患しても命を落とすことはほとんどありません。**牛痘を利用できれば、天然痘毒を接種するよりも安全なのではないか、とジェンナーは考えました。**

　そこで、実際に牛痘にかかった人の水疱から液体を取り出し、なんと実際に8歳の少年に接種しました。水疱の液体を接種された少年は、のちに天然痘を接種されても天然痘に感染することはありませんでした。予防接種の成功です。ジェンナーはこの結果を論文にまとめ、発表しました。天然痘を防ぐこの療法は、雌牛を意味するvaccaからvaccines、ワクチンと呼ばれるようになりました。論文発表当時は動物の感染症をもとに人間の感染症を防げるわけがないと、疑われる時期もありましたが、ジェンナーは実験と観察を続け、その有効性を示しました。

　ワクチンは世界中に広がり、1801年にはイギリスだけでも10万人が牛痘ワクチンを受けました。日本にも江戸時代に輸入され、1909年に種痘法が制定されたことで国民に浸透しました。それでも感染力の強い天然痘の根絶には至らず、1958年からは根絶に向けた世界的な運動が行われます。世界中で天然痘患者を探し出し、患者の周辺の人々にワクチン接種を行う、という封じ込め作戦が鍵となり、ついに1980年、世界保健機関（WHO）によって天然痘の撲滅が宣言されました。

　その後、ワクチンはさまざまな感染症の予防に応用されています。19世紀にパスツールによって狂犬病のワクチンが開発されるなど、さまざまな感染症のワクチン開発が進みました。そして現在、新型コロナワクチンの接種が世界各国で行われています。

 ## 日本とワクチン

　日本では第二次世界大戦中に多くの人が感染症によって命を落としたことで、

免疫細胞は、ウイルスのスパイクタンパク質に反応する

感染した細胞

DNA　mRNA　スパイクタンパク質

スパイクタンパク質は、mRNAをもとに作られる。mRNAとは、DNAの一部をコピーしたもの

免疫細胞

では、スパイクタンパク質のもとになるmRNAだけ体に入れて、体の中でスパイクタンパク質を作ってもらおう!

ウイルスを直接体に入れることなく、免疫のために欲しいものだけ接種するわけです

図4.1.2　新型コロナワクチンにも利用されている、mRNAワクチンの仕組み

感染症への対策が注目されるようになりました。1948年には予防接種法が制定され、各種ワクチン接種が義務化されています。現在は副反応も考慮して、接種は努力義務となっています。2021年7月現在、新型コロナワクチンの接種について、国内では接種したい人、そうでない人どちらも見受けられます。天然痘根絶の歴史においても、そうした過程があったのかもしれません。

まとめ

　ワクチンは天然痘の療法として18世紀にジェンナーによって開発された。理解を得られない時期もあったが、多くの人を感染症から守り、天然痘を根絶した歴史がある。

新型コロナワクチン
副反応の確率は？

打とうか、打つまいか

新型コロナウイルスのワクチンが開発され、接種が始まっている。SNSなどではワクチンが危険だという人もいるらしいけれど、実際のところどうなのだろうか。

副反応と抗体ができることを天秤にかけるとどんな感じになるのだろうか。

基本的には接種が大切

　4.1で紹介したように、ワクチン接種は人の体にウイルスや細菌の抗体を作ることで、あらかじめウイルスや細菌の襲来に備えることができる、有効な手段です。天然痘をはじめ、狂犬病、破傷風、インフルエンザなど、さまざまな感染症のワクチンが作られ、利用されています。

　一方で、他の治療法や薬に副作用があるように、ワクチンにも副反応があります。具体的には、人によってはワクチンを接種した後、接種した部分が腫れたり、微熱が出たりすることがあります。

　本書を執筆している2021年7月現在、病院をはじめとして企業や自治体で新型コロナワクチン接種が進められています。基本的にワクチンは有効な療法ですが、新型コロナワクチンの副反応はどんなもので、どのくらいの確率で発生するものなのでしょうか。接種の判断に役立てるために、ここでは新型コロナワクチンの副反応についてご紹介します。

味方のことを知っておく

　2021年7月現在、国内外で多くの企業や研究機関が新型コロナワクチンの開発や生産を行っています。

図4.2.1　さまざまな種類の新型コロナワクチン

もっと知りたい！

副作用と副反応

副反応と似た言葉に、副作用という言葉があります。この2つの違いは何なのでしょうか。副作用とは、病気やけがの治療のために薬を使ったときに現れる、目的としていない作用のことです。例として、痛み止めによって血圧が上がることが挙げられます。副反応とは、ワクチンを接種したときに現れる、目的としていない反応のことです。例として、腫れや発熱などが挙げられます。

副作用も副反応も、期待している効果とは異なる影響のことを指します。ワクチンの場合は、弱体化した菌やウイルス、抗体などを体に入れることで免疫に関する反応を起こすことを期待しています。そのため特に呼び分けて、副反応と呼びます。

同じ新型コロナワクチンにもさまざまな種類があり、開発しているワクチンの種類は企業や研究機関によって異なりますが、その副反応には大きな差はありません。

　2021年5月時点で、日本で認可されている新型コロナワクチンはアストラゼネカ社、武田／モデルナ社、ファイザー社の3社によるものです。ファイザー社と武田／モデルナ社のものはmRNAワクチン、アストラゼネカ社のものはウイルスベクターワクチンという種類のワクチンです。

　副反応としては、接種してから数日の間に頭痛や倦怠感、筋肉痛などがみられています。こうした副反応はインフルエンザの予防接種でもみられ、免疫が活性化することによって起こります。まれに急性のアレルギー反応（アナフィラキシーショック）が見られることもありますが、その場合はアドレナリンを注射するなどの対応策があります。

　こうした副反応はどの程度の確率で生じるのでしょうか。アメリカの諮問委員会は、ファイザー社の新型コロナワクチンの副反応を調査しました。すると、2021年2月の時点では、**1回目の接種を行った約99万7000人のうち、67.7%が接種した部位の痛み、28.6%の人が疲労、25.6%の人が頭痛を感じたと回答しました。**副反応が生じても、あまり驚く必要はなさそうです。また、同じくアメリカの諮問委員会によると、アナフィラキシーショックは100万回のうち5回ほど見られるとのことです。

　秋から冬にかけて警戒の強まるインフルエンザのワクチンと比較してみましょう。インフルエンザワクチンの接種でも、新型コロナワクチンのように接種後に頭痛や倦怠感が見られることがあります。厚生労働省によると、この確率は接種を受けた人の10〜20%程度。また、アナフィラキシーショック様の症状が100万回のうちに1回、見られることがあります。**実際のところ、現状わかっている新型コロナワクチンの副反応よりは確率が低そうですが、大きく変わるほどではないようです。**

 ## 確率の世界

　医学に関する数字でよく見られるのが、確率です。何%の確率で副反応が出

新型コロナウイルスワクチンのモヤモヤ

副反応はどうかな？
↓
発熱や接種部位の
痛みなどがあります

お金はかかる？
↓
かかりません

SNSの評判は？
↓
極端な情報に
注意しましょう

心配事が出てくるのは当然のことです。
自分ごととして考えられている証拠です

SNSや噂に頼り過ぎず、公的な機関や
専門家による情報をチェックしましょう

図4.2.2　ワクチンを打つときには、こんな問が浮かぶ

る、何%の確率で症状がこのように変化するといったように、症状やリスクの説明でよく確率が登場します。いくら確率が低いといえども、そこに自分が当てはまったらという不安は出てきて当然のものです。

　人の体の中では、さまざまな物質が複雑に相互作用しています。機械のように全てが予測できるわけではなく、その上個人差もあります。そのため「絶対にこうなる」という言い切りは難しく、「このくらいの確率でこうなる」という説明がなされます。それは人の体の複雑さ、多様さゆえに起こる説明なのです。

まとめ

　新型コロナワクチンは副反応が見られるが、その有効性についての報告もある。人の体の複雑さ、多様さがあることもあり、確率による説明が役立っている。

血液クレンジングとは
何だったのか？

あの人みたいにきれいになりたい

有名人がお勧めしていると、自分も試してみたくなる。それはいろいろなことにいえるかもしれない。近くの病院で血液クレンジングが提供されていると聞いた。有名人もお勧めしていたという。本当に効果はあるのだろうか。

SNSでの広がり

　2019年頃、血液クレンジングが大きく話題になりました。アンチエイジングや疲労回復に効果があるとして、血液の色が目の前で変化していく「映え」要素もあり、有名人にSNSで拡散されたこともあり、多くの人に広がりました。結果として、科学的にリスクや有効性を検討する人にも情報が届き、血液クレンジングはSNSを中心に大きく批判されることとなりました。

　ここでは、血液クレンジングの概要、なぜ血液の色が変わるのかを解説します。また、科学の視点と生活の視点、両方から見た血液クレンジングや健康法について考えます。

映えを作り出す化学変化

　血液クレンジングは、血液を体外に取り出してオゾンにさらし、体内に戻す行為です。自分の血液を自分に戻すため、大量自家血オゾン療法、血液オゾン療法とも呼ばれています。

　血液クレンジングが流行した2019年には、血液の色の変化が話題になりました。これはどのように起こるのでしょうか。

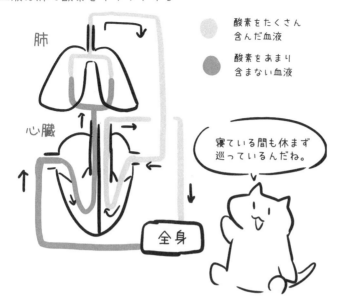

血液は肺で酸素をキャッチする

肺

心臓

酸素をたくさん
含んだ血液

酸素をあまり
含まない血液

全身

寝ている間も休まず
巡っているんだね。

図4.3.1　血液は肺から酸素を得て、全身に酸素を運んでいる

＼もっと知りたい！／

補完代替医療とは？

現在、病院に行って受けることのできる医療行為のほとんどは科学による検
証に基づくものです。科学的に医療行為として妥当であることが確かめられ
ていて、根拠もあります。一方で、科学的な検証に基づかないアプローチ
を補完代替医療と呼びます。瞑想やヨガ、マッサージなどがこれにあたりま
す。有害さが見られないものもありますが、命に関わる病気が対象となった
場合や、体を傷つけてしまう場合には注意が必要です。
通常の治療方法で治療できるものに補完代替医療を使ったり、体に悪影響
を及ぼしたりする可能性がある場合には特に、主治医と相談しましょう。

人の血液にはヘモグロビンという色素タンパク質が含まれています。ヘモグロビンには鉄原子が入っていて、鉄原子が酸素と結びついていると血液は赤く、酸素と結びついていないと黒く見えます。私たちがよく思い浮かべる赤い血液の色は、酸素と結合したヘモグロビンの色です。ヘモグロビンは酸素とくっついたり離れたりして、身体中に酸素を運ぶ役割をもっています。

　血液クレンジングで体から取り出す血液は、静脈血と呼ばれる血液です。静脈血は、酸素を身体中に供給した後の血液です。そのため、鉄が酸素と結合しておらず、少し黒っぽい色をしています。血液クレンジングでは、この黒っぽい血液をオゾンという物質にさらします。

　では、オゾンとは何でしょうか。オゾンは酸素原子が三つ結合したものです。酸素と同じ酸素原子からできていますが、濃度が高い場合には毒性を示します。そのため、医療機関では薄められて使用されます。また、非常に不安定な物質で、時間が経つと自ずと分解して、酸素に変化してしまいます。

　さて、人から取り出した静脈血をこの薄められたオゾンにさらすとどうなるでしょうか。**薄められたオゾンには、オゾンが分解してできた酸素も含まれています。ここに黒っぽい色をした静脈血を入れると、ヘモグロビンの鉄がオゾンに由来する酸素と結合します。すると、ヘモグロビンが赤くなり、全体として血液も赤くなります。**これが色変化のメカニズムです。

　この色の変化は、体内で常に起こっています。静脈血が心臓に入り、肺から酸素を受け取ると、やはり鉄が酸素を受け取って赤くなります。色を変えるという意味では、私たちの体がすでに行っていることと同じなのです。実際のところ、血液クレンジングの治療効果に科学的な根拠はありません。

　2019年当時には、本項で紹介したように血液の色についても批判が上がり、専門家からの注意喚起がなされました。2021年3月時点でも、血液クレンジングを勧めるクリニックはありますが、医療としての効果はいまだにない状態です。

 ## 生活する心と科学の目

　私たちは日常生活において、自分の体を健康にしたい、きれいにしたいという気持ちをもちます。この生活の視点から見れば、有名人が紹介してくれる、血液

オゾンってどんなもの？

酸素原子が三つ結合している分子。とても不安定で、すぐに酸素に変化してしまう。

オゾン層でよく聞くなあ

医療機関では酸素などで薄めて消毒に使用されている。

医療関係の方には身近なものかも

図4.3.2　オゾンは酸素原子が三つ結合してできた、不安定な気体

を目の前できれいにする方法には心惹かれるものがあります。血液は体内を巡る重要なものですから、血液を取り出してきれいに変える、という説明はわかりやすく、説得力をもちます。

　一方で、科学の視点から実際に起こっている現象に注目すると、オゾンの危険性や血液の色が変化する仕組みが見えてきます。

　生活の視点は、私たちが人と関わり、普段の生活を営むためにとても大切なものです。それに加えて少しだけ科学の視点を備えておくことで、冷静な判断に近づくことができるかもしれません。

まとめ

　血液クレンジングとは、血液を取り出し、オゾンに触れさせて体内に戻す行為である。血液の色を変化させるが、その変化は体の中で毎日起きている。科学の視点を持つことで、健康を守る判断に近づけるかもしれない。

ジェネリック医薬品は
なぜ安い?

健康
4.4

医薬品もいろいろある

テレビでジェネリック医薬品についてのCMを見た。過去に開発された同じ効果の薬よりも安く買うことができるらしい。
同じ効果があるのに、どうして安く買うことができるのだろうか。

同じ効果だけど、より安価

　病院で診察を受けたとき、「薬はジェネリックにしますか?」と医師から聞かれることがあります。

　ジェネリック医薬品は、過去に開発された薬と同じ効果をもちながら、安価に購入することができる薬です。ミクロにみると患者さん一人一人の負担を軽減でき、マクロにみると国全体の医療費を減少させることができるとして期待が高まっており、普及が進んでいます。

　しかし、どうして同じ効果の薬を安価に入手することができるのでしょうか。同じ効果ならば、同じだけの対価が必要そうです。実際には、薬を開発するまでの過程と、薬に関する特許が関係しています。ここでは、ジェネリック医薬品とはどんなものか、どうして安いのかをご紹介します。

研究開発の背景に注目

　ジェネリック医薬品の「ジェネリック」は、英語で「一般的」「商標登録されていない」という意味をもちます。名前にもあるように、**ジェネリック医薬品は特許の切れた薬を基に開発された、同様の作用をもつ薬のことです。**

研究・開発
薬となる成分を発見したり、
実験によって合成したりする。
開発成功率は1万分の1ともされる。

試験
薬の有効性や安全性を確かめる。
細胞などでこれらを確かめた後、
希望した人に治験を実施する。

審査
医薬品医療機器総合機構などに
よって、安全性が審査される。

実用へ
薬が発売され、医療関係者や
薬局などから患者の手に届く。

一つの薬で二百〜三百億円、九年〜十六年かかる…！

図4.4.1 薬が世に出るまでには、長い時間と手間がかかる

＼もっと知りたい！／

column

企業の創薬研究者

研究者というと、一般的には大学や研究所のような研究機関にいるイメージがあるかもしれません。実際には、企業の中にも研究者がいます。製薬会社の場合は創薬研究者がいて、新薬の発見や既存の薬の新たな製造方法を発見することを目指し、研究を重ねています。研究職を志望する人の多くは、就職の段階で大学や研究センターで研究者になるか、企業で研究者になるかを選択します。どちらを選ぶかは人それぞれです。
研究者の就職先もさまざまなのですね。

新しい薬の開発には長い時間がかかります。研究開発に2〜3年、効果や作用についての試験に3〜5年かかります。その後実際に患者さんや志願者に薬を使用してもらい、安全性などについてテストを行います。ここに3〜7年かかります。その後、医薬品医療機器総合機構などによって1年ほどかけて審査が行われます。最短9年、最長16年……薬を開発する会社にも研究者にも、かなりの負担がかかります。

　そこで、製薬会社は新薬の特許を出願します。特許とは、国が技術などの発明者に、その発明をしばらく独占して使用できる権利を与える制度です。特許を与えられた製薬会社は、その薬を5〜10年ほど独占して販売することができます。

　特許の有効期間が切れると、特許をもっていなかった製薬会社でも同様の薬を作ることができるようになります。ここで、**特許の切れた薬を基に作られるのがジェネリック医薬品です。すでに薬の安全性が確認され、製造方法も確立されているため、2〜3年ほどで開発することができます。**新しく薬を開発するよりもコストが低いというわけです。そのため、ジェネリック医薬品は先に開発された同じ成分の薬よりも安価になります。

>> ジェネリック医薬品と先に開発された薬との違いは？

　それでは、ジェネリック医薬品と先に開発された薬の違いは何でしょうか。それは、薬の飲みやすさや誤飲の起こりにくさです。成分がすでに開発されている分、より飲みやすいものとなるよう、形に改良が加えられているものがあります。

　日本におけるジェネリック医薬品の使用率は年々増加しています。使用率は、先に開発された薬とそのジェネリック医薬品が処方された数のうち、ジェネリック医薬品が処方された数が占める割合です。2020年9月時点では約79％。これからも普及の余地がありそうです。

 流れの中の一点

　これから日本が超高齢化社会に向かう中で、国全体の医療費が増加することが予想されています。ジェネリック医薬品を使うことは、一人一人の負担の軽減につながるだけでなく、国全体の医療費を抑えることにもつながります。

統計によると…

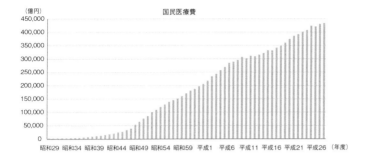

【出典】「国民医療費」（厚生労働省）を基に著者作成

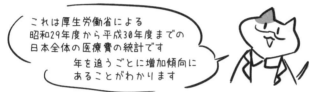

これは厚生労働省による
昭和29年度から平成30年度までの
日本全体の医療費の統計です
年を追うごとに増加傾向に
あることがわかります

図4.4.2　医療費は高齢化とともに増加すると予測されている

　普段飲んでいる薬は、生活の視点から見ると健康を支えてくれるものであり、研究開発の視点からみると研究開発の成果であり、国の政策の視点からみると医療費につながります。同じ一つの薬も、生活、科学、政策と、見方によってさまざまな側面が見えてきます。

まとめ

　ジェネリック医薬品とは、特許の切れた薬を基に作られた、同様の効果をもつ薬のこと。生活では健康の支え、研究では成果、政策では医療費に関するものと、さまざまな側面をもっている。成分の開発が短期間で済むため、安価に購入することができる。

医学の専門家と話すには？

身近な専門家

新型コロナウイルス感染症が流行する中、医療に従事する人たちが病院や接種会場、保健所などで対応してくれている。とてもありがたいことだ。私たちの生活の中で、最も身近なところにいる専門家と呼べるかもしれない。いつも忙しそうだけれど、じっくり話したいと思うことがある。どうしたら医療関係者の人とうまくコミュニケーションを取れるのだろうか。

同じものを見ているはずなのに

体調を崩したとき、けがをしたとき、病院に行ってもなかなか医師に不調について伝えられなかった……という経験はありませんか。体調が悪いときほど、自分の状態をうまく説明できないことがあります。心もダメージを受けていて、医師の対応によっては、説明ができないことと相まってわびしい気持ちになることがあるかもしれません。

本来、医師側も患者側も、解決したい問題は同じはずです。両者ともに体調を回復させることや、日常生活を送れるようしていくことを目指しています。それでもすれ違うのは、なぜなのでしょうか。

ここでは、医師と患者の間に生じるコミュニケーションギャップと、それを改善するためにはどのようなことが必要か考えます。

視点の違い

患者が接する医療従事者は、もちろん医師だけではありません。看護師や薬剤師、作業療法士といった方たちもその一人です。ここでは話を簡単にするため、医師と患者のコミュニケーションに注目します。

図4.5.1　こんなすれ違いが起こることも

\もっと知りたい！/

異なる視点をつなぐ試み、医療マンガ大賞

2019年に、医療マンガ大賞というマンガのコンテストが始まりました。主催者は横浜市医療局によるプロジェクト、「医療の視点」です。患者と医療従事者の間のコミュニケーションギャップを解消しようと開催されました。

参加者はマンガ家。実際の医療現場で起こった出来事を基に、マンガを制作します。2019年には55作品、2020年には78作品が集まり、医療の専門家、マンガ家、編集者によって大賞、入賞作品が選ばれました。2021年7月現在、2021年の秋に第三回が開催される予定です。

視点の違いがある中でも、マンガを通して思いを伝え合うことができたら……次回の作品も要チェックです。

患者にとっては、けがや体調不良は大きな出来事です。生活に影響が出るだけでなく、精神的なショックも伴います。そんなときは、普段よりもうまく説明することが難しいことでしょう。

　一方で医師は、医学を学ぶ上でこうした患者の思いをある程度学んでいることもあります。しかし、他の患者を待たせていることもあり、なかなかじっくりと話す時間を取ることができません。

　医師も患者も、病気やけがに対応したい、苦痛を和らげたいというモチベーションは同じです。どうすればコミュニケーションをスムーズに行えるのでしょうか。

　少し余裕があるときには、メモを活用してみましょう。医師は患者の話を聴くとき、症状の5W1Hに注目しています。誰に（Who）、主にどんな症状があるのか（What）。どこが痛いのか（here）、いつ痛むのか（When）、どのようにどのくらい痛むのか（How）。そしてなぜ痛くなったか、心当たりはあるか（Why）。医師の前でとっさに説明することが難しくても、**これらを記入したメモを活用することで情報を伝えることができます。**

　体調不良や軽度のけがであれば、まずは情報を伝え合えることが重要です。より重い病気やけがのときには、その後の対応について医師と深く話し合う機会もあるでしょう。患者から見た医師は、医学的、科学的な説明を行う専門家であるだけではなく、この病気やけがに対応し、意味付けていくためのパートナーでもあります。

　また患者と医師が共に協力し話し合える環境を実現するためには、当事者の努力だけではなく周囲による環境の整備も大切です。今後は患者の精神的な負担、医師の時間的な負担を減らす仕組みと技術の開発も発展するかもしれません。

医は仁術

　新型コロナウイルス感染症の流行によって、インターネットを利用して医師の診察を受けられる遠隔医療が普及しました。患者側、医師側の移動に関する負担を和らげることができる一方で、診断の難しさ、コミュニケーションも課題となっています。これまで生身の人間が直接に会って行われていたコミュニケーション全体が抱える課題ともいえます。

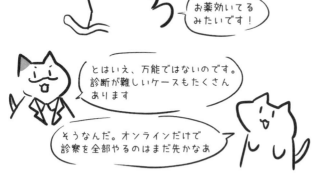

オンライン診療の様子（想像図）

調子はどうですか？

お薬効いてるみたいです！

とはいえ、万能ではないのです。診断が難しいケースもたくさんあります

そうなんだ。オンラインだけで診察を全部やるのはまだ先かなあ

図4.5.2　遠隔医療で、診察でのコミュニケーションも変化していくかもしれない

「医は仁術」といわれるように、医療従事者の中では患者に対する姿勢が非常に重要とされてきました。これからの社会の中で、仁術がどのように変化していくのか、あるいは守られていくのか、注目していきましょう。

まとめ

医師と患者には、同じ課題に向き合っていても双方に異なる状況と視点がある。症状を5W1Hでまとめたメモは、医師と患者のコミュニケーションに役立つかもしれない。より深い対話も実現できるよう、サポートする仕組みや技術が必要である。

医学はどこから来たのか？

医学の来歴

血液クレンジングや医療に関する投稿を見ていると、やはり科学的な根拠が重要になっているようだ。科学的な根拠について述べるときに、「西洋医学」というワードが出てくることがある。そういえば西洋医学はいつ伝わってきたのだろう。「東洋医学」というものも聞くけれど、東洋医学はいつから日本にあるのだろうか。

医学の発展

　普段病院に行くときには体調が悪かったりけがをしていたり、渦中に飲み込まれています。そんなとき、医学についてゆっくり考える余裕はないかもしれません。本項では、自分自身の健康から一歩離れて、医学について考えてみましょう。

　現在、病院やクリニックでは西洋医学を中心にした医療が行われています。病院に行くと解剖図のポスターが貼られていることがありますが、詳細な解剖図は西洋医学の中で生まれてきたものです。一方で、体質に合わせて漢方薬を処方してもらうこともあります。漢方薬は、長く東洋医学で用いられてきました。このように、現代の医療には西洋医学と東洋医学が共に使われています。

　東洋医学はいつ頃から日本に根付いているのでしょうか。また、西洋医学はどのように発展し、いつ頃日本に伝わったのでしょうか。ここではその歴史を振り返ってみましょう。

科学革命の中で

　東洋医学の源流は中国にあります。中国では、紀元前から鍼と灸による治療が行われていました。紀元3世紀までに、鍼灸の理論や薬草の用法をまとめた古典、

図4.6.1　東洋医学は、鍼灸治療と薬草の古典を中心に発展してきた

\もっと知りたい！/

まだ科学になる前の西洋の医学

病気やけがを治療しようとする行いは古代エジプトのパピルスやバビロニアの粘土板に詳細な記録が残されています。当時は魔法や宗教的な意味合いが強く、古代エジプトやバビロニアの影響を受けた古代ギリシャでは、アスクレピオスの神殿で「治療」が行われていました。その後、学術が発展し、魔術的な要素から独立して医学が形成されました。こうしたオカルト的なものから始まり、研究が進むにつれてオカルトを脱する流れは、錬金術を祖とする化学にも見られます。いろいろな分野に共通して起こってきたことなのかもしれません。

『黄帝内経』、『神農本草経』が著されます。現代にも通用する実用的な内容もあり、これを基礎として、中国医学が発達しました。

　6世紀頃、百済や新羅など、朝鮮からの渡来人や学者により、中国医学が飛

鳥時代の日本に伝わります。562年には、初めて中国医学書が日本に到来しました。984年には、隋や唐の医学をまとめた日本初の医学書、『医心方』が著されました。その後も日本における医学は16世紀までの長い間、中国医学を引き継ぎ、発展させたものでした。

　一方、西洋医学は古代ギリシャの医師、ヒポクラテスや古代ローマの医師、ガレノスによる医術を引き継ぎます。ガレノスは古典的な生理学や病理学、解剖学を築きました。

　その後、古典的な西洋医学は大きな挫折を味わいます。13世紀にハンセン病、14世紀にはカミュの小説にも描かれたペスト、15世紀には梅毒が流行しました。感染症の原因を「悪い空気（miasma）」としたためです。都市の各地では空気を浄化しようと香木が焚かれましたが、感染は増加していきました。

　15世紀以降になるとルネサンス時代が始まり、ギリシャやローマの古典が改めて見直されました。感染症の流行による痛手も影響し、ガレノスの古典的な医学には、改良が加えられるようになりました。解剖学が新しい西洋医学の先頭に立ち、1543年にはベルギー出身の解剖学者、アンドレアス・ヴェサリウスが詳細な解剖書を出版しました。鉄砲や大砲による傷の治療が必要になり、外科技術も発達しました。

　16世紀以降、こうして発展を遂げた西洋医学が、解剖学を中心に日本に伝わりました。日本は江戸時代中期。杉田玄白による『解体新書』が出版されたのはこの時期です。**このとき、西洋医学を蘭方と呼ぶのに対して、それまで日本で行われていた医学を漢方と呼ぶようになりました。**当時から蘭漢折衷の治療が行われ、華岡青洲という医師は漢方薬による麻酔と西洋の外科を学び、全身麻酔による乳がんの摘出に世界で初めて成功しました。

　幕末には、長崎でオランダの医師、ポンペが西洋医学の体系的な知識を日本に伝え、明治維新後も、ドイツの医師たちによって学生への教育が行われました。この頃の西洋医学は感染症への対策と傷の治療に優れたものとなっていました。その後、第二次世界大戦を経て医学の教育や制度が整備され、今に至ります。

　古来から中国医学を学んだ日本は、時代とともに各地で発展した医学を新し受け入れてきました。今の東洋医学と西洋医学を両方活用するスタイルは、江戸時代から行われていたのです。

~西洋医学発展の歴史~

古代ギリシア	経験的な知識による医学
古代ローマ	ギリシア医学を継承
13世紀	ハンセン病、ペスト 流行
14世紀	科学革命が起こる
15世紀	ルネッサンス

解剖学、定量分析、医療統計の時代へ

ヒポクラテス

ガレノス

科学革命以降に活躍した人には、地動説を唱えたコペルニクスや、ガリレオ、ニュートンがいますね

図4.6.2　西洋医学は、ヒポクラテスとガレノスの古典を基に発達してきた

科学と医学

西洋医学では解決しにくい問題に、東洋医学が力を発揮する場面があります。現代では、科学的に漢方の成分の効用を調べる研究も行われています。14世紀に起きた科学革命とともに発達した西洋医学、中国医学を深めるように発達した東洋医学、それぞれに得意な分野があるのです。

まとめ

日本の医学は長く中国医学に由来する漢方を中心としていたが、主に江戸時代以降、西洋科学を取り入れていった。当時から現在に至るまで、東洋医学、西洋医学も合わせた医療が行われている。

棋士の直観は
科学で調べられる？

そこにも仕組みがある？

世の中には、直観で物事を判断する人と論理で物事を判断する人がいる。
プロの棋士は一瞬で局面を判断し、いい手を見抜くという。直観で判断を下
しているのだ。一方で将棋を指すAIは、論理的に手を読んでいくらしい。
プロ棋士の直観はどんなふうに働いているのだろう。

プロ棋士のひらめき

　近年、将棋を指すAIが開発されています。将棋の盤面を読み込み、莫大なデー
タ量を処理し、論理的に好手を導き出します。一方でプロのチェスプレイヤーや棋
士は、1秒もかからずに直観によって指し手を決めた後、それが好手か悪手かを分
析していることが知られています。

　こうした直観による局面の判断については、チェスのプレイヤーへの聞き取りや
プロ棋士の脳波測定などによって研究が進められてきました。しかし、直観的に
局面を判断するということが、脳でどのように行われているかはわかっていません
でした。

　そこで2014年、日本の理化学研究所と富士通株式会社、株式会社富士通研
究所、公益社団法人日本将棋連盟が研究グループを結成。プロ棋士が直観的な
判断を下す仕組みの一端を明らかにしました。ここでは頭脳のメカニズムに注目
し、イギリスの学術雑誌、サイエンティフィック・レポート誌に掲載された論文の内
容をご紹介します。

図4.7.1　将棋の局面を理解するためには、脳のうち、大きく分けて二つの部分が使われている

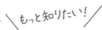

将棋AI開発の始まり

近年、プロ棋士と戦えるほどの実力をもつAIが開発されています。その発端は、1967年頃から始まっていました。1967年の朝日新聞には、電子計算機で詰将棋を解くという記事が掲載されています。加藤一二三八段（当時）が60秒ほどで解いた問題を、電子計算機では90秒ほどとアマチュア初段並みの速度で解くことができたという記述があります。

開発者は株式会社日立製作所の社員、越智利夫さん、亀井達弥さん、内ヶ崎儀一郎さんの3人。3人は、この電子計算機を趣味で開発したそうです。

直観を科学する

　人の脳は、大きく分けて三つの部分、大脳、小脳、脳幹に分けられます。その
うち最も発達しているのが大脳です。

　大脳のうち、前頭部は注意や思考、側頭部は言語や記憶を司ります。これまで
の研究で、前頭部は局面の全体的な意味、側頭部は局面にあるそれぞれの駒に
反応することが知られていました。**プロ棋士が本当に「1秒もかからずに」局面
を判断しているとすれば、前頭部や側頭部が瞬時に反応している可能性があり
ます。**

　そこで研究グループは将棋のプロ棋士とアマチュア、将棋を指さない人の3グ
ループ、それぞれ12名の脳波を測定しました。将棋には囲いなど、意味をもった
駒の配置があります。実験では意味のある配置と意味のない配置を用意し、それ
ぞれの駒の配置を5秒間で参加者に記憶させました。その後、3秒置いて駒の配
置を再現させました。

　この実験において、意味のあるコマ配置に対する脳波を測定すると、プロ棋士
には二つの反応が見られました。**一つ目はコマ配置から0.2秒ほどで現れる前頭
部の活動、もう一つは少し遅れて、0.7秒ほどで現れる側頭部の活動です。**

　実験の結果を被験者のグループごとに比較すると、前頭部の素早い反応はプロ
棋士で特に観察できるもので、アマチュアや将棋を指さない人は0.3秒前後と、そ
れよりも遅いタイミングで活動が起こっていることがわかりました。このことから、
プロ棋士は確かに、数字でいえばわずか0.2秒ほどで盤面全体の意味を把握して
いることがわかります。また、0.7秒ほどでそれぞれの駒にも注目しており、1秒
以内で局面の状況を把握していることがわかりました。

　また、前頭部と側頭部の反応には0.5秒ほどしか間隔がなく、盤面全体の意味
と個々の駒についての情報が並行するように処理されていると考えられます。

　**つまり、脳波を見ても、プロ棋士は実際に「1秒もかからずに」盤面の意味合い
と駒を把握しているらしいのです。** 一つ謎が解けて、棋士がどのように全体的な
意味を把握しているのか、その仕組みをさらに調べることが、新たな課題となりま
した。

プロ棋士の目

将棋未経験者やアマチュアは歩などに注目するのに対し、
プロ棋士は角や飛車を優先的に認識していることもわかりました。

図4.7.2　プロ棋士は一つ一つの駒の価値にも注目している

 ## 曖昧な世界に生きる

　一つ一つの要素が説明できる論理的なつながりとは異なり、直観はその過程が謎に包まれており、曖昧なものとして扱われることもあります。しかし、脳波など数で表すことのできるもので観察することで、その特徴を調べることができます。

　かつて虹は、雨上がりに空に浮かぶぼんやりとした美しいものでした。17世紀、イギリスの科学者、ニュートンが虹を数や式に落とし込み、その仕組みを説明することに成功しました。今は曖昧なもの、よくわからないものも、これから科学によって切り開かれ、解明されていくかもしれません。

脳波を測定すると、将棋の棋士は将棋の盤面を見たとき、次の好手を直観的に掴んでいる。直観のような曖昧なものも、今後科学によって明らかにされていくかもしれない。

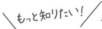

アランの幸福論

19世紀末～20世紀中頃の哲学者に、アランという人がいます。哲学者であり、フランスの各地の高校で哲学を教えました。

アランは著作『幸福論』の中で、人の感情と体の関係の話を多く取り上げています。人間は不安や恐怖を感じ、どうにも動けなくなることがあります。そんなとき、人は自分を悲劇の主人公のように捉え、感情のドラマの中に閉じ込められてしまい、どうにも前に進めなくなります。

アランは、感情とは体の物理的な反応にすぎないのだといいます。そして、運動をしたり、微笑みの表情を作ったりすることで心が解きほぐされることを説きます。

現代の医学や科学で、感情や思考が明らかにされつつあります。体と心の関係を知ることで、私たちは少し、感情的なドラマから自由になれるかもしれません。

column

第5章

物理と科学

物理学も科学の一つ。
特に現代の科学的な
考え方に大きな影響を
与えてきました

ふふふ！
いいですね。
見てみましょう

そうなんだ！
物理学の目で日常を見ると、
どんな感じなのかなあ

5.1 スパゲッティは なぜ2本に折れないのか?

物理

小さめの鍋には入らない……

今日の夕飯はスパゲッティ。沸騰したお湯にスパゲッティを入れようとしたとき、鍋がスパゲッティに対して小さすぎることに気付いた。半分にしようとスパゲッティを折ると、小さな破片がたくさん出てきた。

スパゲッティがきれいに半分に折れてくれたらいいのにな。なぜ半分に折れないのだろう。

天才を悩ませた難問、解決!

スパゲッティを折って、幾つに折れるか観察すると、三つや四つに折れることがわかります。これはなぜなのでしょうか。一見単純そうなこの問題は、天才物理学者をも悩ませました。

その名はリチャード・ファインマン。ノーベル賞も受賞した20世紀のアメリカの物理学者です。彼はこの問題を解こうとスパゲッティを折り続け、観察を重ねました。しかし、実力者の彼の手にかかってもこの問題は解明されませんでした。

その後2004年に、フランスの科学者、バジル・オードリーとセバスチャン・ノイキルヒがこの仕組みを科学的に明らかにしました。ここでは彼らが学術雑誌、フィジカル・レビュー・レターズ誌に投稿した論文の内容をご紹介します。

スパゲッティを科学する

オードリーとノイキルヒは、現象を簡単なモデルにするためにスパゲッティを棒、スパゲッティが曲がることを棒が曲がることに置き換えました。棒の一端は固定し、もう一端に力を加えてしならせます。ここからさらに力を加えて、棒を折るという実験を考えてみましょう。

スパゲッティの乾麺の両端を
もち、しならせて折ると…

なぜか2本には折れず、
3本以上に折れてしまう。

天才物理学者も…

むむ…なぜだろう、何度折っても
やっぱり3本以上に折れてしまうな

2時間にわたり仮説を立てるも、答えは出ず…

ノーベル賞物理学者
リチャード・ファインマン
（1918〜1988）

図5.1.1　身近な問題でも、難しい！

＼もっと知りたい！／

column

天才・ファインマン先生

『ご冗談でしょう、ファインマンさん　上・下』（岩波現代文庫）という本は、ファインマン自らが過去を振り返って書いたエッセイです。その中に、幼い頃から工作が好きで、壊れた機械を修理していたという記述があります。近所の人からラジオを直すように頼まれてしまいますが、ラジオを前に故障した原因をじっくりと考えます。修理が進まない様子に、初めは依頼主も「何やってんだ」と不満げです。しかし幼少期のファインマンは見事に原因を見抜いてラジオを直してしまいます。

壊れたものを前にしたら、とにかく手を付けてしまいたくなるものです。すぐにラジオに取り掛かるのではなく、その仕組みを考え把握しようとするところは、彼の才能といえます。

この実験を方程式を用いて表したところ、棒の動きがわかりました。

　棒の右端に徐々に力を加えていくと、棒はいつかたわみに耐えきれなくなって折れます。これで棒は2本に折れます。その後、壁に固定されて残った側の棒にも動きがあることがわかりました。

　壁側に残った側の棒が真っ直ぐに戻ろうとするとき、たわみの波が生じます。波はスパゲッティを伝わり、棒を固定している壁にぶつかって反響し、増幅されます。大きくなったたわみの波によって棒の一部が強く曲げられ、残った棒は折れます。こうして棒は3本に折れるのです。

　こうした方程式による予測に基づき、彼らはコンピューターでシミュレーションを行い、棒が折れる位置を突き止めました。実際にスパゲッティを用いて実験を行ってみると、この位置がシミュレーションと一致しました。予測は正しかったようです。

　つまり、スパゲッティが3本に折れるのはたわみの波が伝わるためであり、一度に3本に折れるのではなく、2回に分けて、しかも別々の原因で折れていたのです。

　自然現象には、観察だけではその仕組みに迫ることが難しいものもあります。状況を簡単にし、方程式やシミュレーションを用いて科学することで、詳細な仕組みを明らかにすることができます。

　ちなみに、スパゲッティを2本に折りたいときには、スパゲッティをねじるとよいそうです。こちらは2018年に新たに解明されました。

身近な現象を科学の目で見る

　この研究は、2006年にイグ・ノーベル賞を受賞しました。この賞は、人々を最も考えさせ、最も笑わせた研究に贈られます。スパゲッティという素朴な現象も、力が加わったときの物の壊れ方という、材料の開発、工学や物理学に通じるテーマを秘めています。ファインマン先生もスパゲッティを科学の目で見つめていたことでしょう。

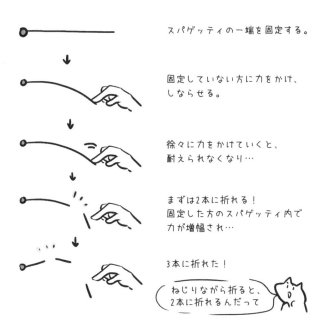

スパゲッティの一端を固定する。

固定していない方に力をかけ、
しならせる。

徐々に力をかけていくと、
耐えられなくなり…

まずは2本に折れる！
固定した方のスパゲッティ内で
力が増幅され…

3本に折れた！

ねじりながら折ると、
2本に折れるんだって

図5.1.2　スパゲッティの折れる仕組み。ねじると2本に折れる

 まとめ

　スパゲッティの折れる仕組みは2段階ある。身近な現象も工学や物理学など、
科学の入り口になっている。

台所にホワイトホール？

別の世界への入り口

ドラえもんの映画が公開されていた。ドラえもんは四次元ポケットからアイテムを取り出したり、のび太の机から現れたりする。
何かの通り道、という意味では、水道も似たようなものだと思うけど、もしかして科学的に見たら似ているのだろうか。

宇宙にあるものと同じ形

　宇宙を題材とした映画では、ブラックホールは全てを吸い込む恐ろしいものとして描かれることがあります。実際に、ブラックホールに入ったものはたとえ光であっても出てくることができません。まさに宇宙の深淵です。

　ブラックホールに吸い込まれたものたちは一体どこへ行ってしまうのでしょうか。この謎は、数十年の間、科学者たちの心を捉えてきました。

　その答えとして候補に挙がっているのがホワイトホールです。ブラックホールとは逆に、ブラックホールの吸い込んだものを吐き出す天体とされています。ホワイトホールは理論上存在しうるとされますが、存在を示す観測結果は見つかっていません。

　2010年、ホワイトホールと同じ物理法則を体現している現象が台所で起きているのではないかと提案する論文が発表されました。宇宙の研究と家の台所がどんなふうにつながるのか、ここではホワイトホールを題材に研究をご紹介します。

ホワイトホールと水の円盤

　まずはブラックホールから始めましょう。ブラックホールとは、非常に大きな重力

ブラックホールの存在は、
一般相対性理論という理論から生まれた。

一般相対性理論を発表した
アルバート・アインシュタイン
（1879〜1955）

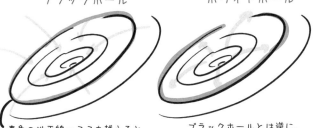

ブラックホール　　　　　　ホワイトホール

事象の地平線…ここを越えると
光さえも出てこられない。

ブラックホールとは逆に、
物質を放出する。

おわあなんかこわい…！ホワイトホールは
あるかどうかもまだよくわからないんだって。
もし本当にあったらすごいね…

図5.2.1　ブラックホールとホワイトホールってどんなもの？

\ もっと知りたい！ /

物理法則がもつ普遍性

物理法則のほとんどは地上で発見され、導かれました。中世ヨーロッパでは天体は神聖なものとされていて、地上での物理法則と天体を支配する法則は別々のものだと思われていました。

17世紀、ニュートンがこの考え方を打破し、物理法則は地球上だけでなく宇宙の隅々まで通用する普遍性をもっているという新しい世界観を開きました。現代においては、地球上で物体が従う法則と同じ物理法則によって、ブラックホールやスペースシャトルの中の現象も説明することができます。

をもち、光をも吸い込んでしまう天体です。ここを越えるとブラックホールから出てこられなくなるという境界線、事象の地平線をもちます。

　事象の地平線の内側、ブラックホールにあるものは、たとえ光であっても事象の地平線を越えて外に出ることができません。ホワイトホールにはブラックホールと同様に事象の地平線があり、ブラックホールとは反対に全てのものを吐き出します。

　さて、台所のシンクで蛇口から水を出すと、シンクには円盤状に水が広がり、その縁に水が盛り上がり、水の円盤の縁を作り出します。このように水が急に盛り上がる現象を跳水といいます。この跳水を事象の地平線、蛇口から出る水をホワイトホールから吐き出される物体とします。すると、**ホワイトホールで吐き出された物体が事象の地平線に向かう様子は、蛇口から出た水が跳水に向かう様子と似ています。**

　フランスの物理学者、ジル・ジャーナとジェルマン・ルソーらは跳水がホワイトホールと似た性質をもつのかを実験で調べました。条件を簡単にするため、蛇口の代わりにスチール製のノズルを用意し、そこから水の代わりにシリコンオイルを流し、シンク代わりのポリ塩化ビニル製の水平なプレートに着地させました。シリコンオイルによる跳水はきれいな円形になるからです。これまでの研究から、ホワイトホールであれば、事象の地平線の内側を伝わる波のほうが、円盤の外側を伝わる波よりも高速で伝わることがわかっていました。では、台所ではどうでしょうか。

　実際に波の速度を測ってみると、跳水の内側、円盤にある水の波は、跳水の外側、円盤の外にある水の波よりも高速であることがわかりました。台所のシンクに水を流したときに起こる現象とホワイトホールは、よく似た性質をもっていたのです。

　現在、ホワイトホールが存在するかどうかは明らかになっていません。もしホワイトホールが存在していたら、そこで起きている現象は台所で起きている現象と似ているのかもしれません。これからの研究成果に注目しましょう。

台所で見られる水の流れが
ホワイトホールに似てる？

オイルで実験

跳水

跳水の外側よりも
跳水の内側のほうが
オイルの流れる速度が
速い。

ホワイトホール

事象の地平線

事象の地平線の外側よりも
事象の地平線の内側のほうが
物質が放出される速度が
速い。

**図5.2.2　水の速度を測定すると、ホワイトホールと同じ性質をもっていること
がわかった**

似たものが現れる

　直接の原因は異なっていても、ブラックホールやホワイトホールを導く相対性理論と水の挙動を決める流体力学のように、別々の分野でも似たような現象が現れることもあります。現在物理学にはさまざまな分野がありますが、こうした共通点が見られることも物理学の魅力の一つです。

まとめ

　台所でできる水の円盤は、ホワイトホールと似た性質をもっていることが実験によって確かめられた。異なる現象に共通点が現れることは、物理学の魅力の一つである。

地球の外側に天文台？

物理 5.3

アルビレオの観測所

宮沢賢治の『銀河鉄道の夜』を読んでいる。今日はアルビレオの観測所に差し掛かったところまで来た。天空の観測所、静かで落ち着く感じがする。そういえば、宇宙にも観測所があるのだろうか。

宇宙の巨大天文台

宇宙にも観測所があります。その名前はハッブル宇宙望遠鏡。地球を周回しながら観測を行う、宇宙天文台です。宇宙に設置されているため、地球の大気に遮られず、天候に左右されることなく宇宙を遠くまで見渡すことができます。

ハッブル宇宙望遠鏡は1990年に地球を周回する軌道上に設置されてから現在まで、宇宙分野の研究において多くの発見を助け、重要な役割を果たしてきました。宇宙の天文台はなぜ建てられ、どのように役立っているのでしょうか。

遠くを見渡す宇宙の「目」

ハッブル宇宙望遠鏡はアメリカ宇宙航空局、NASA（アメリカ航空宇宙局）によって開発され、1990年、スペースシャトルディスカバリーによって宇宙へと運ばれました。95分間に1周のペースで地球の周りを公転しながら、観測を行っています。全長は13.2m（大型バスより1mほど大きいくらい）、重さは約11tあります。光を集めるための鏡、主鏡の直径は2.4mで、大型の望遠鏡といえます。これまでに、150万回以上の観測を行ってきました。

光は1秒間に地球を7周半する速度で伝わっていきます。遠くの星から出た光は何万年、何億年もかけて地球に届きます。望遠鏡はこの光を受け取ることで、何万

図5.3.1 ハッブル宇宙望遠鏡は地球を周回しながら宇宙の遠くまで観測する

\もっと知りたい！/

望遠鏡の発明

望遠鏡を最初に発明したのはオランダの眼鏡職人、ハンス・リッペルハイで
す。彼は凸レンズと凹レンズを重ねると遠くの風景が拡大されて見えること
に気付きました。1609年、ガリレオがこの形式の望遠鏡を自作しました。
月や土星などの天体を望遠鏡で観測し、望遠鏡による天体観測の歴史が始
まりました。

「ハッブル」という名前の由来

ハッブル宇宙望遠鏡の名前はアメリカの天文学者、エドウィン・ハッブルに
由来します。ハッブルは宇宙が膨張していることを示し、宇宙はとても小さ
く密度の高い状態から始まったとするビッグバン理論の基礎を築きま
した。

年、何億年も前の遠くの星を観測します。こうした長い年月をかけて地球にやってくる光は、宇宙の過去を探るために非常に重要なものです。しかしながら、大気や天候によって観測が阻まれるため、地球上の望遠鏡からはよく観察できないものもありました。

　この難点を克服する望遠鏡が宇宙に作られました。それがハッブル宇宙望遠鏡です。地球上の大気に煩わされることがなく、大気に吸収されてしまう赤外線も観測することができます。さらに、1.6km先にある目標物でも、人の髪ほどもずれることなく正確に追跡することができ、地球から134億光年まで離れた場所にあるものを観測することができます。

　実際にハッブル宇宙望遠鏡の観測によって、宇宙や銀河の形成に関する重要なデータが得られました。また、私たちの住んでいる銀河の年齢が137億歳であることもわかりました。

　私たちは望遠鏡によって、はるか遠くまで見渡すことができるようになりました。私たちの目ともいえる望遠鏡が宇宙に飛び出したことで、私たちは宇宙についてより多くのことを知ることができるようになったのです。

 ## 全ての人のために

　ハッブル宇宙望遠鏡は、国際的な共同施設として、世界中から観測の提案を受け付けています。観測データは観測から1年後、世界中の科学者に公開されます。またハッブル宇宙望遠鏡が撮影した写真の一部は、私たちも見ることができます。2021年中にはNASA最大の宇宙望遠鏡の打ち上げが予定されており、どのような宇宙を見せてくれるのか期待が高まります。

　ハッブル宇宙望遠鏡は、広く世界に開かれて運営されており、地球からでは観測できないほど遠くのもの、過去のものを観測することができる。

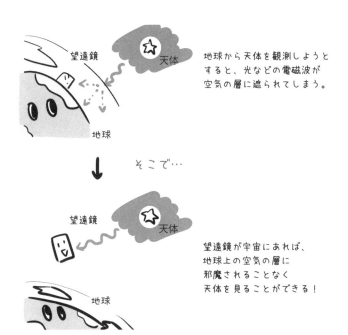

地球から天体を観測しようと
すると、光などの電磁波が
空気の層に遮られてしまう。

そこで…

望遠鏡が宇宙にあれば、
地球上の空気の層に
邪魔されることなく
天体を見ることができる！

図5.3.2　空気に邪魔されないことが、ハッブル宇宙望遠鏡の強み

図5.3.3　ハッブル宇宙望遠鏡からのデータを共有する世界中の人々

貝殻模様の立役者?

おしゃれな貝殻

インターネットで夏らしい画像を調べていたら、南国の貝殻がたくさん出てきた。
いろいろな模様が付いていてかわいい。しましまのものもあれば、三角形
がたくさん出てくるようなものもある。
どうやってこんな模様を作ったのだろう。

三角、しましま、いろんな模様

　貝殻にはいろいろな模様があります。三角形、しましま、ドット……まるで貝殻
が出来上がった後に絵の具で塗ったような、あるいは先に設計図があってその通り
に色を付けていったような、不思議な法則性を感じさせます。

　実際には、貝殻は、貝の成長と共に模様を描きながら、少しずつ作られてゆき
ます。貝殻を作る物質は、貝の遺伝に関する情報と、貝の食べたものや貝の生き
ている環境によって決まります。

　しかし、そうして作られた物質がどのようにお互いに作用しどこに沈着するかま
では、遺伝情報も食べ物も環境も、決めることができません。では、**一体どのよ
うに貝殻模様のでき方を考えればよいのでしょうか。**

　ここでは、**貝殻の模様ができる過程を探る研究の立役者、アクティベーターと
インヒビターをご紹介します。**

貝殻の生命活動を科学する

　貝殻は、貝が成長していくにつれ、少しずつ形成されていきます。貝は外套（がいとう）と
いう膜のような器官で内側から貝殻の端を包み、そこに貝殻の端から貝殻のもと
が含まれた液体を分泌します。貝殻のもとは外套と貝殻の間で少しずつ結晶化

貝は端から徐々に成長していく

→ → → …

成長線

ガバ！

貝殻は炭酸カルシウムという
化合物の結晶でできている。
貝は貝の端から少しずつ結晶を
付け加え、貝殻を徐々に
成長させる。

貝殻表面の色がついた部分は、
タンパク質などでできています

図5.4.1　さまざまな模様のある貝殻。貝殻はその辺縁部から徐々に作られる

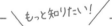

もっと知りたい！

column

生きているものは特別？

科学の歴史の中で、生命は長く特別な存在として扱われてきました。生き物
が分泌するものや生き物の体は、金属や木片のような物質とは違って生命
の働きのあるもの、という意味で特別に「有機物」と名付けられました。
しかし歴史の中でその考え方は変わり、有機物も金属や木片のように元素
でできている、なんら特別なものではない、という考え方が主流となってき
ました。生きものをどう捉えるかは、時代によって変化してきたのです。

し、貝殻を形成します。

　貝殻の模様がどのようにできたのかを考えるために、科学者たちは貝殻の端で
何かが化学反応をし、拡散し、沈着していると仮説を立てました。化学反応を行
うのが今回の立役者、アクティベーターとインヒビターです。

アクティベーターとインヒビターは、元々はイギリスの数学者、アラン・チューリングが提案した架空の反応物です。アクティベーターは自分自身の量を増やし、インヒビターの量も増やします。一方、インヒビターは自分自身の量を減らし、アクティベーターの量も減らします。よって、アクティベーターが増加するとインヒビターがアクティベーターの増加を「まあまあ落ち着いて」と抑制し、インヒビターが減少するとアクティベーターが「盛り上がっていこう」とインヒビターを増やします。双方は相棒のように振る舞い、それぞれの速度で拡散します。

　貝殻模様は貝の端の部分で作られます。端の部分で起こる化学反応を考えるために、これを小さな箱に分割してみましょう。各々の箱にアクティベーターとインヒビターを与え、一定の時間間隔で箱の列の細長いスナップ写真を撮ります。実際の貝殻模様が貝殻の端で徐々に作られる様子は、箱の列のスナップ写真が並べられていく様子と似ています。

　実際に、シミュレーションで箱の列を再現し、アクティベーターとインヒビターの拡散の速度にある条件を与えます。すると、**スナップ写真にあるアクティベーターの分布が実際の貝殻の模様に類似する**、という結果が得られます。

　貝で起きている化学反応は直接観測することが難しく、実際に貝がアクティベーターとインヒビターに相当する物質をもっているのかは定かではありません。しかし、**アクティベーターとインヒビターという架空の立役者を考えることで、そのメカニズムの一部を説明することができます。**

生命の記録をシミュレーションで探る

　貝殻は貝の成長の記録を残しているといえます。どのようなものを食べ、どのような環境で育ったのか、貝殻に少しずつ刻まれていくのです。つまり、貝殻模様を見ることは貝殻の年輪、生命としての活動の記録を見ることに他なりません。

　実際の生命の活動を調べることは難しくても、貝殻の模様のような生命活動の記録やシミュレーションから、生命活動の仕組みを探ることができます。今回のような架空の立役者は、実際にそれに相当する物質が生物の体内にあると判明することもあります。

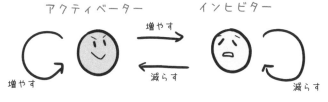

この二つの物質が、貝の端っこにあるとする。

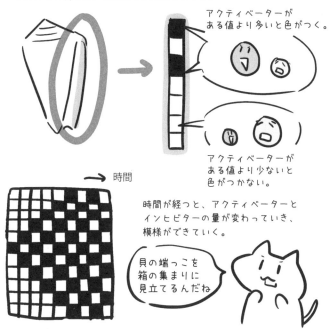

アクティベーターが
ある値より多いと色がつく。

アクティベーターが
ある値より少ないと
色がつかない。

時間が経つと、アクティベーターと
インヒビターの量が変わっていき、
模様ができていく。

貝の端っこを
箱の集まりに
見立てるんだね

図5.4.2　アクティベーターとインヒビターの関係

まとめ

　貝殻模様の仕組みの一部は、アクティベーターとインヒビターという化学反応
物によって説明されている。架空の立役者を作ること、シミュレーションを用いる
ことで、実際に調べることの難しい現象を扱うことができる。

金平糖の形はどのようにできる？

物理
5.5

金平糖の角

旅行のお土産に金平糖をもらった。職人技で作られたものは食感がザクッとしないで、さらさらと溶ける。おいしい。

金平糖には角がある。あの角はどうやって作るのだろう。まさか一つ一つくっつけて作るのか、それとも何かの型に流し込んで作るのだろうか。

物理学者とお菓子

金平糖の形はどのようにできるのか。明治時代の日本、こうした身近な物理に注目した科学者がいました。その名は寺田寅彦。明治時代、電磁気学や量子力学などに注目が集まる中で、身近なものの不思議さに注目し研究を行った物理学者です。夏目漱石門下の一人でもあり、優れた科学随筆を多数残しました。

ここでは、寺田先生が考察したものの一つ、金平糖の科学についてご紹介します。小さな球にとげが付いたようなかわいらしい姿は、どのように形成されるのか、実はまだよくわかっていません。今回は本書執筆時点での現役研究者による、結晶の成長に着目した考察をお伝えします。

金平糖を科学する

金平糖は、砂糖を結晶化させることで作られます。結晶の核になるザラメや芥子の実を斜めに設置した銅鑼という大きな鍋に入れ、熱した銅鑼を回転させます。その間、職人が少しずつ糖蜜を加え、鋤のような道具でかき混ぜます。すると、結晶のもとの周りに砂糖が徐々に結晶化し、金平糖が出来上がります。

金平糖には角があり、その数はおおよそ一定の値になっています。鍋でザラ

金平糖の作り方

材料
・いら粉
　金平糖の核となる粒。
　グラニュー糖や芥子の実などでも可。
・糖蜜
　砂糖を溶かしたもの。

回転する鍋

いら粉やグラニュー糖を
回転する鍋に入れ、熱する。
時折かき混ぜる。

糖蜜をいら粉にかける。
濃度や鍋の傾き、
回す速度を調節する。

これを14日間〜1カ月ほど繰り返す。
機械で作る場合でも、直径1.5cmにするまで3週間かかることも。

図5.5.1　金平糖の作り方

＼もっと知りたい！／

Column

甘党な物理学者

寺田寅彦は大の甘党だったようです。お菓子の代わりに砂糖をなめたり、黒砂糖をおにぎりの具にしたりというエピソードが残っています。「ねぇ君、不思議だと思いませんか?」と問いかけ、日頃から身近なことに興味を持つことを学生に教えたそうです。

「雪は天からの手紙」

物の形に注目した物理学者に、寺田寅彦の弟子、中谷宇吉郎がいます。雪の結晶について研究し、世界で初めて人工雪を作ることに成功した人です。雪の結晶の形から上空の大気の様子を知ることができることから、「雪は天からの手紙である」という言葉を残しました。

メや芥子の実を回転させたら、金平糖は丸くなってしまいそうです。そこで、**なぜ角ができるのか**、**角の個数はどうやって決まるのか**が問題になっていました。この問題は寺田寅彦によって提起され、その弟子や後世の人々によって研究が行われてきました。

　東北大学大学院理学研究科（2011年当時）の結晶成長学者、塚本勝男教授は、金平糖の断面を観察しました。**すると金平糖の成長初期には、核の周りから年輪のように砂糖の層ができていることがわかりました。**鍋によく接する角付近にある砂糖が、次々に結晶化したと考えられます。材料から角を出す、職人の技です。

　しかし、これでは直方体の形をした結晶であるグラニュー糖を核にした金平糖は、八つの角をもつはずです。そこで、塚本教授は糖蜜が付く場所に注目しました。**水晶などの角にコーヒーを付けて実験すると、角についた水分は蒸発して三つに分かれるようになることがわかりました。**

　安価な金平糖では、核に薄い直方体状のグラニュー糖が使われます。最初の八つの角が三つに分かれると考えると、角が四つできる面を底面と上面、二つできる面を側面として、**角の数は全部で16個になることが予想できます。**実際にグラニュー糖がもととなっていると考えられる金平糖の角の数を数えてみると、**角の平均個数が約18個に近いことが確かめられました。**

　さらに、岩石や鉱石の観察に用いる偏光顕微鏡で断面を観察すると、安価なものでは大きな結晶の粒が角を中心に放射状に成長していることがわかりました。一方で伝統的な製法で作った高価な金平糖では結晶の粒が小さく、細かい結晶がぎゅっと積み重なっていることがわかりました。ザクッとした食感をもつか、さらさらと溶けるかも、結晶構造によって説明できそうです。

　つまり金平糖の角ができるのは、そもそも核が角をもっていて、作る過程で初期に核のもつ角が受け継がれて成長し、その角の付近に新たな角が現れ成長するためとわかりました。角の数は、核の形と糖蜜が角についた後に幾つに分かれるかによって決まると予想できました。

　金平糖の角を調べることで、金平糖ができる過程や金平糖の核となる物体の形を推測することができます。形にはその形成過程や、中身の様子を知ることに役立つ、たくさんの情報が眠っているのです。

金平糖の形ができるまで

はじめは
芥子の実や
グラニュー糖、
いら粉などの
小さな粒

周りに砂糖の
結晶の層が
できてくる

尖った部分が
成長し、角が
できてくる

角が徐々に
育てられて、
金平糖の形に
なる

すごい…！そうか、金平糖も結晶だね

そうそう、科学の目で見ると、
金平糖のお菓子以外の側面が
見えてきますね

図5.5.2　金平糖のでき方（伝統的な製法の場合）

 ## 道具と研究

　結晶や生物など身近な現象に関する物理学は、現象が複雑であり、解けない方程式が出て来ることから扱うことが難しく、発展が遅れていた分野でした。1970年代にコンピューターが登場するとさまざまな方程式の計算が可能になり、複雑系として扱われるようになりました。寺田寅彦はその先駆者であるといえます。

　機械学習が登場してからは、その技術を取り入れて物理学の研究を行う例もあります。今後も新しい道具が現れることで、新しい発見があるかもしれません。

 まとめ

　金平糖の角やその数は、核になっている芥子の実やグラニュー糖の形、糖蜜の性質を反映してできていると考えられる。形を見ることで、その奥にある核の形など、さまざまなことを予測できる。

電気抵抗がゼロになる？

熱いスマートフォン

スマホを使っていたら、アプリを立ち上げすぎたせいか熱くなってしまった。そういえば、金属に電流を流すと熱くなる。

電流を流しても熱くならない部品があったら、使ってみたいなあ。

電気抵抗ゼロが社会を変える？

　電気を流すと金属が熱くなります。これは、金属が全ての電気を無駄なく伝えることができず、一部を熱に変換してしまうためです。この熱はジュール熱と呼ばれ、その金属の電気抵抗の大きさに比例する大きさをもちます。抵抗が大きければ大きいほど、電気の無駄も増えます。

　もし電気抵抗がなければ、ジュール熱も大幅に減少し、無駄なく電流を伝えることができるようになります。スマートフォンやパソコンが熱くなることもほとんどなくなり、電気や磁石の力をより広い用途に応用することができます。

　では、電気抵抗がない金属や物質は実際に存在するのでしょうか。実はこの数十年間に、冷却することで電気抵抗がゼロになる物質が発見されてきました。電気抵抗がゼロになる現象を超伝導、こうした現象を引き起こす物質を超伝導体といいます。ここでは、超伝導についてご紹介します。

超伝導技術はこうして生まれた

　超伝導の発見のためには、物体を冷却する技術の登場が必要でした。オランダ、ライデン大学の物理学者、ヘイケ・カマリン・オンネスが冷却技術を向上させ、1908年にヘリウムを液化させる実験に成功しました。

電気抵抗ってなんだ？

電流の流れにくさのこと。
物質を構成する原子が
振動して、
電子の運動を妨げることで
発生する。

電子

物質を構成する粒子

あれ？オームの法則って V=IR だよね。
抵抗がゼロになったら、電圧Vも
ゼロになるんじゃない？

いいところに気付きましたね！
そう、オームの法則は通常の金属の
実験結果から経験的に得られたもので、
超伝導には当てはまらないのです

図5.6.1　電気抵抗ってなんだろう？

＼もっと知りたい！／

物理学科こぼれ話

超伝導現象を観察する実験は、大学の講義でも行われています。北海道大学理学部では、物理学科の3年生が通電させた超伝導体を液体窒素で冷却し、電気抵抗を測定する実験を行います（2017年当時）。

著者もこの実験に参加しました。超伝導体の電気抵抗がほぼリアルタイムでモニターに映し出されるのですが、徐々に下がり始めた電気抵抗がある点で一気に低下しほとんど0になります。目の前で確かに超伝導が起きているということに感動したことを覚えています。

第5章　物理と科学

ヘリウムは常温では気体ですが、沸点である4.2Kまで冷やすと液体にすることができます。K（ケルビン）は絶対温度の単位で、0Kは−273.15℃と同じ温度、4.2Kは−268.95℃に当たります。これ以降、こうした低い温度の世界を舞台に物理学の研究が進んでいきます。

　オンネスはさらに1911年、水銀を約4Kまで冷却すると水銀の電気抵抗が0になることを発見しました。これが超伝導の発見です。超伝導の仕組みは1957年にアメリカの物理学者、ジョン・バーディーン、レオン・クーパー、ジョン・ロバート・シュリーファーの3人によるBCS理論で解明されました。当時、超伝導が起こる温度は約30Kが限界とされました。

　1986年、BCS理論が予想した壁が破られます。ドイツの物理学者、ヨハネス・ベドノルツと、スイスの物理学者、カール・ミュラーが、酸化物を使って約35Kで超伝導を実現しました。超伝導の起こる温度はどんどん上がり、203K、約−70℃という記録も出ています。

　BCSの壁以下の温度に超伝導体を冷やすためには、高価な液体ヘリウムが必要です。しかし、もう少し高い約77K以上の温度に冷やすためなら、安価な液体窒素を使えます。1986年以降、高い温度で超伝導を観測できたことで、身近な電線にも超伝導の技術が使える未来が一段と近づきました。

　現在、超伝導は特にMRI（医療用磁気共鳴断層撮影装置）などの医療機器に応用されています。今後はより高温で起こる超伝導と液体窒素は、膨大な計算をこなすことができる量子コンピューター、電気で発動した磁石の力を用いるリニアモーターカーにも利用される可能性があります。熱くないスマートフォンもできるかもしれません。

技術による社会の発展

　社会の中で、大学や研究機関で、さまざまな現象が研究されています。超伝導もそうであり、その研究は冷却技術が向上したことで開かれました。超伝導技術は今後通信技術や量子コンピューターに役立つ可能性があります。このことは冷却技術が開発された1900年頃には予想されていなかったことでしょう。

　大学や研究機関で生まれた知識や研究成果は、生まれた当初はその目的が想

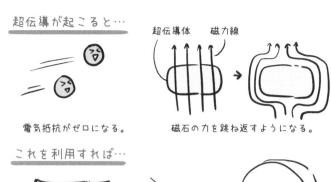

超伝導が起こると…

超伝導体　磁力線

電気抵抗がゼロになる。

磁石の力を跳ね返すようになる。

これを利用すれば…

電力の輸送
電気を無駄なく
運べるようになる。

リニアモーターカー
強力な磁石を作るために
電気を必要としている。

MRI
体の内部を見る。
実用化されている。

図5.6.2　超伝導技術、技術と社会

　像されていなくても、その後は社会で利用されていくのです。研究は時間も費用もかかり、決まった材料と時間で出来上がるものではありませんが、私たちの社会のうちにあり、また社会を変えていく文化的基盤でもあるのです。

 まとめ

　電気抵抗がゼロになる現象を超伝導という。超伝導技術は冷却技術の向上から開発が進み、通信や情報技術に役立てられ始めている。研究成果は生まれる前には想像されていなかった応用の可能性もあり、文化や技術の種になる。

ロボットとAIを研究にも？

経験則とAI

自動車の工場で、ベテラン社員の塗装技術を受け継ぐロボットがいると聞いた。科学の研究で実験をするときにも、とても繊細なテクニックが必要らしい。もしかして、研究の世界にも匠の技を受け継ぐロボットがいるのだろうか。

研究という仕事とロボット、AI

　近年、人に近い作業ができるとして注目されているAI。その研究は情報、数学の分野から始まり、応用の範囲を広げています。言葉や音声を解析するだけでなく、絵を描いたり音楽を奏でたりといった、より人間らしい活動を真似ることができる機能もできつつあります。また、匠の技を受け継ぐロボットも開発されています。その技は自動車の塗装、はんだ付けという金属を接合する技術、陶器の成形などさまざまです。

　ロボットやAIが人間の仕事を奪う、という見方もありますが、一方でこのことは、失われるかもしれない技術を確実に受け継ぎ、自由に活動できる時間を増やす可能性も秘めています。最近、研究の世界でも研究活動にロボットやAIを利用しようという流れが生まれています。ここでは、その実例をご紹介します。

研究を自動化する

　技術に優れた人を匠といいます。よく大工や伝統工芸の職人、といった意味合いで使われますが、研究の世界にも匠がいます。実験室で活躍する、技術補佐員、テクニシャンという人たちです。生命科学に関わるテクニシャンは、バイオテクニシャンと呼ばれています（テクニシャンについては、3.5でも扱っています）。

先行研究　仮説　実験

実験結果に
合わなければ
仮説を修正

実験結果と仮説が一致したら、
一つの成果になる

この流れにAIを入れようって
ことなのか

そうです！特に実験は
時間も回数もかかって大変…

図5.7.1　科学研究の流れ。どの部分をAIが担うのか

もっと知りたい！

実は3回目！ AIブーム

2010年代後半にAIが大きくメディアに取り上げられましたが、過去に3回のAIブームがありました。

1回目は1950年代後半から1960年代。AIはゲームやパズルが解けるようになりましたが、現実の課題を扱うことができず、ブームは下火になります。2回目は1980年代。知識をAIに与えることで、複雑な課題に適用できるAIが生まれました。しかし、コンピューターが理解できるように逐一情報を書き換える必要があり、またも冬の時代へ。そして3回目は2000年代。コンピューターが自分で知識を習得する、機械学習が登場しました。この3回目のブームは、2021年まで続いています。

AIブームを振り返ると、一度問題点が現れても、その問題点を乗り越えた技術が新しく生まれてくる様子がわかります。

生命科学の実験で扱われる細胞や試薬は非常にデリケートで、実験にはまさに匠の技が必要です。どのくらいの時間、どのくらいの強さでシャーレを揺らすべきか、どのくらいの角度でどの位置で試薬をチューブに注入すべきか。細かい条件によって実験結果が変わってしまうこともあります。

　こうした繊細な条件を体感や知識によって熟知しているのがテクニシャンです。その人数は限られており、実験にも莫大な費用と時間がかかります。また研究活動ではさまざまな条件で実験を行う必要もあります。

　そこでヒト型ロボットの提供を行う日本の企業、ロボティック・バイオロジー・インスティトゥート株式会社は、高度なテクニシャンの技術を備え、自動で実験を行うロボット、まほろを活用しています。

　まほろは人と同じ二つの腕をもっており、テクニシャンの動きを細部まで再現することができます。また、リモートで指示を受け取り、実験を行うことができるため、研究者が実験施設に常駐していなくても、夜間でも実験を行うことができます。

　ロボットは指示を受けてその通り実験を行うことはできますが、効率のよい実験や新たな実験の条件を提示することはできません。この部分をAIで行おうという流れが生まれています。創薬の分野では、薬の開発のために適した条件をもつ細胞を自動で作るべく、AIとまほろを組み合わせる取り組みが始まっています。

　実験は長時間、深夜に及ぶこともあり、研究者やテクニシャンの生活にも影響します。AIやロボットを活用することで、時間帯を問わず、健康を損なうことなく、高度なテクニックをもって実験を進めることができることでしょう。AIによって実験の提案がなされることで、研究が推し進められる未来もそう遠くなさそうです。

 ## 技術とどう共存するか

　数学や情報学で作られたAI技術は、社会だけではなく他の学術分野にも影響を及ぼしています。科学研究には研究者の議論だけではなく、実験やその検証など地道で莫大な時間と費用のかかる部分もあります。適した技術が生まれることで研究が加速し、本来人間が取り組むべき課題や活動に集中できるようになるかもしれません。

バイオテクニシャン

生命科学の研究において、実験を担当する。
研究室によって職務内容はさまざま。
細胞の取り扱いや薬品の合成などを行う。
実験に不可欠かつ高度な技術をもつ専門家

この実験をやってほしい！

研究者

教えたように頼むよ

ロボット

ロボットにバイオテクニシャンの技術を学習させ、匠の技を再現。
負担の多い実験を代行し、より効率よく研究を行えるようにする。

図5.7.2　研究を支援するAI

　AIやロボットは人の仕事を奪う、という見方もありますが、うまく活用すること
で私たちの生活をより豊かにしてくれるものでもあります。人の仕事を奪うもの
があるとすれば、それはAIやロボットではなく、そのように判断を下す人間かもし
れません。

　まとめ

　AI技術は数学や情報学から生まれ、広く応用されている。テクニシャンの匠の
技を受け継ぎ、より効率的に実験を行うロボットAIが誕生するか
もしれない。

おわりに

　ここまで読んでいただき、ありがとうございます。著者のかきもちです。おかげさまで、初めて単著を出させていただきました。少しだけこの本の背景をお話しさせてください。

　私は高校生くらいまで、科学に対して「どこか遠くにある得体の知れないもの」という印象があり、苦手意識をもっていました。

　そこで「大学で詳しく物理を学べばわかるのではないか?」と思い、物理学科に進学しました。すると、理科系の科目や科学技術に隠れていた科学の姿がはっきりとしてきました。科学が大切にしていることと日常生活で優先されることは、かなり違っていることに気づきました。そこから苦手意識がとれ始め、科学が一段とおもしろくなりました。

　大学院に入って少し経った頃、出版甲子園という大会を知りました。学生による本の企画のコンペティションです。「科学について本で伝えるチャンスだ」と思い応募したところ、決勝大会まで進ませていただきました。この本は、出版甲子園で作った本の企画を実現しようと、いくつかの出版社にお声がけいただいたことから生まれました。

　この本の目的は、隠れた科学の世界と日常の世界をつなぐ通路となることです。通路の入り口となるように、私自身が科学についてモヤモヤしていたことや疑問に思っていたこと、そして科学の姿を見て「そうだったのか」「おもしろい」と思ったことを集めました。

本書を読んで、少しでも読者の方の科学へのモヤモヤが解消され、「科学ってそういうものだったのか」「おもしろい」と思っていただけたら、嬉しい限りです。

　末筆ながら、本書の出版を支えてくださった皆さまに御礼申し上げます。翔泳社、出版甲子園の担当者のお二人には、何度も何度も助けていただきました。企画のこと、文章のこと、イラストのこと、印刷のことなど、未熟で無知な著者にたくさんご教示いただき、出版に向けてご尽力いただき、本当にありがとうございました。この本が世に出たのは、まずもってお二人のおかげです。

　また執筆を支え、励ましてくれた方々、友人、家族に感謝します。著者の弱さを理解し、ご支援とご協力をいただき、ありがとうございました。

　そして何より、読者のあなたに、心より感謝申し上げます。お手にとってくださり、ここまで読んでくださり、ありがとうございました。少しでも楽しみとなれたら幸いです。

　科学は私たち人類が歴史の中で生み出してきた、一つの豊かな文化です。これを築き、育て、伝えようとするみなさまに敬意を表します。

　科学と皆さまの日常との関係が、素敵なものでありますように。
　それでは、またどこかでお会いしましょう!

かきもち

参 考 文 献

第1章

- 厚生労働省,「日本人の食事摂取基準 (2020年版)」策定検討会報告書
- 広山均, フレーバー:おいしさを演出する香りの秘密, フレグランスジャーナル社
- 厚生労働省, 遺伝子組換え食品Q&A 厚生労働省医薬食品局食品安全部 (平成23年6月1日 改訂第9版)
- 畝山智香子, 食品添加物はなぜ嫌われるのか 食品情報を「正しく」読み解くリテラシー, 化学 同人
- 厚生労働省, よくある質問 (消費者向け)
  https://www.mhlw.go.jp/stf/seisakunitsuite/bunya/kenkou_iryou/shokuhin/ syokuten/qa_shohisya.html
- 山崎製パン, 小麦粉改良剤「臭素酸カリウム」による角型食パンの品質改良について
  https://www.yamazakipan.co.jp/oshirase/0225.html
- 消費者庁, 消費者庁ウェブサイト 遺伝子組換え食品
  https://www.caa.go.jp/policies/policy/consumer_safety/food_safety/food_ safety_portal/genetically_modified_food/
- 日本経済新聞,「ゲノム編集食品」国が初承認 トマト流通へ
  https://www.nikkei.com/article/DGXZQOFB107EH0Q0A211C2000000/
- 厚生労働省,「食事バランスガイド」について
  https://www.mhlw.go.jp/bunya/kenkou/eiyou-syokuji.html
- 栗原 久, 日常生活の中におけるカフェイン摂取 −作用機序と安全性評価−, 東京福祉大学・ 大学院紀要 第6巻 第2号 (Bulletin of Tokyo University and Graduate School of Social Welfare) p. 109-125 (2016,3)
- THE NOVEL PRIZE, Emil Fishcer Biographical
  https://www.nobelprize.org/prizes/chemistry/1902/fischer/biographical/
- 厚生労働省, e-ヘルスネット [情報提供] 加齢とエネルギー代謝
  https://www.e-healthnet.mhlw.go.jp/information/exercise/s-02-004.html
- 川端晶子,「調理科学」は世界を駆けめぐる, その名は「分子ガストロノミー」, 日本調理科学会 誌 Vo1.39, No.2, p. 184(2006)
- 佐藤成美,「おいしさ」の科学 素材の秘密・味わいを生み出す技術, ブルーバックス, 講談社
- 山本隆, おいしさの脳科学, 科学基礎論研究 27(1999)1号, p. 1-8
- 山本隆, おいしさと食行動における脳内物質の役割, 日本顎口腔機能学会雑誌 18巻 (2011) 2号, p. 107-114
- プルースト 高遠弘美訳, 失われた時を求めて, 光文社

- 旦部幸博, 珈琲の世界史, 講談社
- 福岡伸一, 世界は分けてもわからない, 講談社現代新書, 講談社
- Brazil. Ministry of Health of Brazil. Secretariat of Health Care. Primary Health Care Department. Dietary Guidelines for the Brazilian population / Ministry of Health of Brazil, Secretariat of Health Care, Primary Health Care Department ; translated by Carlos Augusto Monteiro. Brasilia : Ministry of Health of Brazil, 2015.

第2章

- 日本学術会議, 回答 科学研究における健全性の向上について 平成27年 (2015年) 3月6日
- 馬場裕, 数理情報科学シリーズ6 初歩からの統計学, 牧野書店
- 山本朋範, 日本化学未来館科学コミュニケーターブログ 2018年イグノーベル賞を予想する ①現代版 "風が吹いたら桶屋が儲かる?" 事例集
  https://blog.miraikan.jst.go.jp/articles/20180901post-18.html
- 植原亮, 思考力改善ドリル 批判的思考から科学的思考へ, 勁草書房
- 文部科学省, 文部科学統計要覧 (令和3年度版) 4.小学校
  https://www.mext.go.jp/b_menu/toukei/002/002b/1417059_00006.htm
- フロリアン・カジョリ 小倉金之助補訳, 復刻版 カジョリ初等数学史, 共立出版
- 結城浩, 数学ガール ゲーデルの不完全性定理, SB Creative
- 国立天文台, 理科年表2021 第94冊, 丸善出版
- 森田真生, 数学する身体, 新潮社
- 田野村忠温, 「科学」 の語史, 大阪大学大学院文学研究科紀要. 56 p. 123-181
- マリオ リヴィオ 千葉敏生訳, 神は数学者か?ー数学の不可思議な歴史, ハヤカワ文庫NF, 早川書房
- 中村邦光, 日本における近代物理学の受容と訳語選定, 学術の動向, 2006年11巻11号 p. 80-85
- 中村邦光, 日本における 「物理」 という述語の形成過程, 学術の動向, 2006年11巻12号 p. 90-95
- 和田純夫, プリンキピアを読む, ブルーバックス, 講談社
- 木村直之編, ニュートン式超図解 最強に面白い!! 微分積分, ニュートンプレス
- Tyler Vigen, Spurious Correlations, Hachette Books

第3章

- 稲葉寿, 感染症数理モデル私史, 「科学」 vol.90 no.10 p. 909-914 (2020)
- 村松秀, 論文捏造, 中公新書ラクレ, 中央公論新社
- 池内了, 科学の考え方・学び方, 岩波ジュニア新書, 岩波書店

- 岸田一隆, 科学コミュニケーション 理科の<考え方>をひらく, 平凡社新書, 平凡社
- 日本学術会議 若手アカデミー, 提言 シチズンサイエンスを推進する社会システムの構築を目指して, 令和2年 (2020年) 9月14日
- 一方井祐子 小野英理 宇高寛子 榎戸輝揚, シチズンサイエンスへの参加意欲と科学・技術に対する関心の関係, 科学技術コミュニケーション, 27, p. 57-70
- 林和弘, オープンサイエンスをめぐる新しい潮流 (その5) オープンな情報流通が促進するシチズンサイエンス (市民科学) の可能性, 科学技術動向研究 2015 年 5・6 月号 (150号)
- 小林傳司, トランス・サイエンスの時代 科学技術と社会をつなぐ, NTT出版
- 一方井祐子, 日本におけるオンライン・シチズンサイエンスの現状と課題, 科学技術社会論研究 第18号 (2020)
- 大学共同利用機関法人 自然科学研究機構 国立天文台ニュース編集委員会, 国立天文台ニュース NAOJ NEWS, No.319 2020.02
- 文部科学省, 教科書Q&A
  https://www.mext.go.jp/a_menu/shotou/kyoukasho/010301.htm#03
- 文部科学省, 教科書無償給与制度
  https://www.mext.go.jp/a_menu/shotou/kyoukasho/gaiyou/990301m.htm
- 文部科学省, 平成29・30・31年改訂学習指導要領 (本文、解説)
  https://www.mext.go.jp/a_menu/shotou/new-cs/1384661.htm
- FOLLETT, Ria; STREZOV, Vladimir. An analysis of citizen science based research: usage and publication patterns.?PloS one, 2015, 10.11: e0143687
- 荒川弘, 鋼の錬金術師, スクウェア・エニックス
- KERMACK, William Ogilvy; MCKENDRICK, Anderson G. A contribution to the mathematical theory of epidemics.?Proceedings of the royal society of london. Series A, Containing papers of a mathematical and physical character, 1927, 115.772: p. 700-721
- The Advisory Committee Appointed by the Secretary of State for India, the Royal Society, and the Lister, Reports on Plague Investigations in India, The Journal of Hygiene, Vol. 7, No. 6, Reports on Plague Investigations in India (Dec., 1907), p. 693-985
- WEINBERG, Alvin M. Science and trans-science. Minerva, 1972, p. 209-222
- 山崎ナオコーラ, 美しい距離, 文春文庫, 文藝春秋

第4章

- テルモ株式会社 医療の挑戦者たち 31 血清療法の確立
  https://www.terumo.co.jp/challengers/challengers/31.html
- 厚生労働省, 平成30年シーズンのインフルエンザワクチン接種後の副反応疑い報告について, 医薬品・医療機器等安全性情報 No.369

- みずほ情報総研株式会社, 厚生労働省医政局経済課委託事業 平成24年度 ジェネリック医薬品使用促進の取り組み事例とその効果に関する調査ー報告書ー, 平成25年2月
- 出村政彬, ちゃんと知りたい! 新型コロナの科学 人類は「未知のウイルス」にどこまで迫っているか, 日経サイエンス
- 調剤MEDIAS(Medical Informations Analysis System), 最近の調剤医療費(電産処理分)の動向, 令和元年度8〜9月
- 松村むつみ, 自身を守り家族を守る 医療リテラシー読本, 翔泳社
- 里見清一, 医者と患者のコミュニケーション論, 新潮新書, 新潮社
- 厚生労働省, オンライン診療の適切な実施に関する方針 平成30年3月(令和元年7月一部改訂)
- 坂井健雄, 医学全史 西洋から東洋・日本まで, ちくま新書, 筑摩書房
- 梶田昭, 医学の歴史, 講談社学術文庫, 講談社
- 大塚恭男, 東洋医学の歴史と現代, 日本東洋医学雑誌 第47巻 第1号 p. 5-11, 1996
- 辻哲夫, 日本の科学思想ーその自立への模索, 中公新書, 中央公論新社
- 電子計算機で詰将棋 朝日新聞 1967年7月4日朝刊 p. 15
- 清愼一, コンピュータ将棋の初期の歴史, 情報処理学会研究報告 Vol.2014-GI-31 No.8 2014/3/17
- リチャード・ドーキンス 福岡伸一訳, 虹の解体ーいかにして科学は驚異への扉を開いたか, 早川書房
- アラン 神谷幹夫訳, 幸福論, 岩波文庫, 岩波書店
- NAKATANI, Hironori; YAMAGUCHI, Yoko, Quick concurrent responses to global and local cognitive information underlie intuitive understanding in board-game experts, Scientific Reports, 2014, 4.1: p. 1-10
- e-Stat 政府統計の総合窓口 https://www.e-stat.go.jp/
- Tom Shimabukuro, MD, MPH, MBA CDC COVID-19 Vaccine Task Force Vaccine Safety Team, COVID-19 vaccine safety update Advisory Committee on Immunization Practices(ACIP), January 27, 2021

第5章

- R. P. ファインマン 大貫昌子訳, ご冗談でしょう、ファインマンさん 上・下, 現代岩波文庫, 岩波書店
- 宮沢賢治, 銀河鉄道の夜, 青空文庫
- 小山慶太, 寺田寅彦 漱石、レイリー卿と和魂洋才の物理学, 中公新書, 中央公論新社
- 山田一郎, 寺田寅彦とその周辺, 第33回日本人間ドック学会 招待講演
- 寺田寅彦, 小宮豊隆編, 備忘録 金米糖, 寺田寅彦随筆集 第二巻, 岩波文庫, 岩波書店
- 寺田寅彦, 小宮豊隆編, コーヒー哲学序説, 寺田寅彦随筆集 第四巻, 岩波文庫, 岩波書店

- 春日井製菓株式会社ウェブサイト
  https://www.kasugai.co.jp/enjoy/factorytour/konpeito/
- 銀座緑寿庵清水 YouTube【緑寿庵清水公式】金平糖が出来上がるまで。 日本語字幕
  English sub付
- NASA, Hobble Space Telescope About-Hubble Facts
  https://www.nasa.gov/content/about-hubble-facts
- 田中昭二, 20世紀における超伝導の歴史と将来展望, 応用物理, 2000, 69.8 : p. 940-948
- 塚本勝男, 話題 金平糖の不思議, 月報 砂糖類・でん粉情報 (独立行政法人農畜産業振興機構) 2019.6
- Edwin Cartlidge, 硫化水素が最高温度で超伝導に Nature ダイジェスト Vol. 12 No. 11
- 日経ビジネス電子版, トヨタ、工場で人工知能を活用 2017/1/25
- 総務省, 平成28年度版 情報通信白書のポイント 本編第1部 1(2) 人工知能 (AI) 研究の歴史
- 産経ビズ, 産総研と武田子会社、AIとロボットで細胞培養 技術者の人材不足に対応, 2017/10/16
- 吉川和輝, 特集AI 人工知能から人工知性へ 科学がAIで変わる, 日経サイエンス2020年1月号
- TURING, Alan Mathison. The chemical basis of morphogenesis. Bulletin of mathematical biology, 1990, 52.1-2: p. 153-197
- KUSCH, Ingo; MARKUS, Mario. Molluscshell pigmentation: cellular automaton simulations and evidence for undecidability. Journal of theoretical biology, 1996, 178.3: p. 333-340.
- AUDOLY, Basile; NEUKIRCH, Sebastien. Fragmentation of rods by cascading cracks: why spaghetti does not break in half.?Physical review letters, 2005, 95.9: 095505
- JANNES, Gilles, et al. Experimental demonstration of the supersonic-subsonic bifurcation in the circular jump: A hydrodynamic white hole.?Physical Review E, 2011, 83.5: 056312.
- OCHIAI, Koji, et al. A Variable Scheduling Maintenance Culture Platform for Mammalian Cells.?SLAS TECHNOLOGY: Translating Life Sciences Innovation, 2021, 26.2: p. 209-217

索引

会員特典データのご案内

　紙面の都合上、書籍本体に掲載できなかった内容を、本書の追加コンテンツとして PDF 形式で提供しています。

　会員特典データを入手するには、次の内容を参考にしてください。

① 下記の Web サイトにアクセスしてください。

https://www.shoeisha.co.jp/book/present/9784798168838

② 画面に従って、必要事項を入力してください。無料の会員登録が必要です。

③ 表示されるリンクをクリックし、ダウンロードしてください。

◆注意

※ 会員特典データのダウンロードには、SHOEISHA iD（翔泳社が運営する無料の会員制度）への会員登録が必要です。詳しくは、Web サイトをご覧ください。

※ 会員特典データに関する権利は著者および株式会社翔泳社が所有しています。許可なく配布したり、Web サイトに転載したりすることはできません。

※ 付属データおよび会員特典データの提供は、予告なく終了することがあります。あらかじめご了承ください。

◆免責事項

※ 会員特典データの内容は，本書執筆時点の内容に基づいています。

※ 会員特典データの提供にあたっては正確な記述につとめましたが、著者や出版社などのいずれも、その内容に対してなんらかの保証をするものではなく、内容やサンプルに基づくいかなる運用結果に関してもいっさいの責任を負いません。

著者プロフィール

かきもち

北海道大学理学院 物性物理学専攻 博士前期課程修了。
科学技術コミュニケーション教育研究部門CoSTEPにて
サイエンスライティングを中心に学ぶ。2018年からイラス
トレーター・ライターとして活動を開始。本書が初の単著。

Twitter : @kakimochimochi

企画協力	出版甲子園
装丁・本文デザイン	303DESiGN 竹中秀之
装丁・本文イラスト	かきもち

これってどうなの？
日常と科学の間にあるモヤモヤを解消する本

2021年8月30日　初版第1刷発行

著　　　者	かきもち
発　行　人	佐々木 幹夫
発　行　所	株式会社翔泳社（https://www.shoeisha.co.jp/）
印刷・製本	株式会社 加藤文明社印刷所

ISBN978-4-7981-6883-8　　　　　　　　　　　　　　　Printed in Japan